Guérir, ce n'est pas lutter contre la maladie; guérir, c'est se mouvoir et « emporter » ainsi la maladie; comme on peut dire d'elle, au contraire, qu'elle a emporté la personne.

Jean-Charles Crombez

Guérir sans guerre

La guérison : une question d'harmonie

A Marc et
Marie France
de la génération qui me suit
à qui je souhaite de toutes petites
guérisons à effectuer, jamais de grandes.
Avec mon affection.
Johanne

Données de catalogage avant publication (Canada)

Ledoux, Johanne

Guérir sans guerre

ISBN 2-89077-198-9

1. Malades – Psychologie. 2. Esprit et corps. 3. Autothérapie.
4. Cancer – Aspect psychologique. 5. Habitudes sanitaires. I. Titre.
R726.5.L42 2000 616'.001'9 C00-940150-4

Illustration de la page couverture :
Élise Dumais, *Micro nuances III* (1995), © SODART

Conception de la page couverture : Fabrizio Perozzi
Photo de l'auteur : Josée Lambert
Révision : Monique Thouin

ISBN 2-89077-198-9
Dépôt légal : 1er trimestre 2000

Imprimé au Canada

Johanne Ledoux

Guérir sans guerre

La guérison : une question d'harmonie

Préface du Dr Jean Latreille
Hémato-oncologue
et directeur du Centre intégré de lutte contre le cancer
de la Montérégie, hôpital Charles-LeMoyne

Collection
ADVENIR

Flammarion
Québec

Préface

Que vous soyez une personne atteinte du cancer ou d'une autre maladie, un membre de son entourage ou encore un individu en quête de paix intérieure, je vous prescris sans hésitation la lecture de ce recueil de pensées. Les réflexions de Johanne Ledoux, atteinte de cancer, l'ont amenée à reconnaître ses peurs et ses angoisses, mais également ses forces, ses valeurs réelles et le sens de sa vie. C'est avec générosité qu'elle partage ses découvertes, ses appréhensions, sa sagesse ainsi que son cheminement. Ses propos sont teintés d'une grande lucidité et ne vous laisseront pas indifférent. Leur lecture suscite le désir de trouver la paix et l'harmonie qui guérissent. Je vous encourage à le faire.

Il y a dans ce livre des phrases qui troublent, des pensées qui facilitent l'acceptation de soi, d'autres qui apaisent et redonnent plein d'espoir dans la vie, dans la survie. De plus, il fait naître le sentiment d'être en lien avec l'humanité, soulageant ainsi la solitude présente en chacun de nous.

On ne peut dissocier la guérison de l'âme de celle du corps. Johanne Ledoux nous propose de suivre son chemin de guérison, qui m'apparaît universel. Celui-ci nécessite, d'une part, de mettre fin à la guerre contre soi, créant ainsi la disponibilité nécessaire pour entendre son guérisseur personnel. D'autre part, il requiert de prendre contrôle de notre existence, en harmonisant notre façon de vivre avec nos valeurs. Cette liberté d'action retrouvée a l'effet d'un baume sur nos blessures. La lecture de ce livre nous encourage à accomplir ce cheminement afin d'identifier notre processus de guérison, notre voie personnelle. La démarche n'est pas nécessairement associée à une disparition de la maladie. D'ailleurs, parvenu à ce stade, ce n'est pas ce qui importe le plus.

Les personnes qui, comme Johanne Ledoux, sont un peu rebelles, prennent des décisions et cessent d'être victimes afin de devenir elles-mêmes, avec leurs forces et leurs limites. En se libérant, elles nous apprennent à nous libérer. En se guérissant, elles nous permettent de découvrir notre chemin de guérison. À nous de l'explorer.

À la lecture de cet ouvrage, vous serez interpellé par le défi qu'a relevé l'auteur, par son désir de vivre, d'être et de rester elle-même. Merci pour ce bel ouvrage.

Dr Jean Latreille
Hémato-oncologue
et directeur du Centre intégré de lutte contre le cancer
de la Montérégie, hôpital Charles-LeMoyne

Avant-propos

Guérir sans se battre

En parcourant la rubrique nécrologique, on apprend le plus souvent que c'est après une *longue bataille* ou un *courageux combat* que meurent les personnes atteintes de cancer. Aussi, lorsque j'ai appris que j'avais à mon tour un cancer du poumon, répandu, incurable, je me suis dit que si c'était dans la colonne des décès que conduisent la bataille et le combat contre cette maladie, je ne les mènerais pas. De toute façon, je n'avais plus une once d'énergie pour me battre : je l'avais fait toute ma vie et voilà où cela m'avait menée. J'ai plutôt décidé de recourir à une solution apparemment paradoxale : guérir sans me battre.

Croire en la guérison dans ces circonstances signifiait braver les pronostics, les statistiques et le ridicule. Et la bravoure n'était pas ma caractéristique dominante. Je connaissais beaucoup mieux la terreur. Toute ma vie, j'avais eu peur. Des autres, du succès, de l'échec, de la vie. Mais, finalement il m'a paru plus facile d'affronter le monstre identifié du cancer que les fantômes anonymes que j'avais pourfendus jusque-là. Et j'ai guéri.

Depuis 10 ans, plus aucune trace de la maladie. À cause de cette victoire qui m'a surprise moi-même, je souhaiterais que plus personne ne meure, ou ne se laisse mourir, de cette affection. C'est utopique, bien sûr. Chose certaine, il persiste encore maintenant autour du cancer des mythes si terrifiants qu'on en meurt souvent davantage de peur que de mal.

J'ai moi aussi connu cette peur, envahissante et paralysante, et cherché les moyens de la surmonter. La nuit, je rêvais que j'avais besoin d'un *lift* pour le faire. Je me voyais sur le bord d'une route déserte, espérant qu'on me prenne *sur le pouce* pour alléger et abréger mon parcours.

Ce *pouce*, une fois éveillée, je le trouvais dans les livres, dans la parole des autres. Une phrase d'espoir m'a souvent aidée à triompher d'une journée ou d'un traitement qui, auparavant, m'avaient paru insurmontables. À affronter les matins terrifiants où j'ouvrais les yeux sur une réalité que j'aurais tellement souhaité n'être qu'un cauchemar. À supporter la tombée de la nuit, où, dans le silence de la maison, je croyais entendre le cancer me grignoter le dedans.

Il n'y a pas de méthode de guérison. Chacun invente la sienne. « La méthode... c'est... le chemin après qu'on l'a parcouru », dit Marcel Granet. Aussi n'est-il pas question d'exposer *ma méthode*. Par contre, le chemin parcouru par l'un peut parfois inspirer l'autre. Le seul fait de savoir qu'il existe un rescapé d'une situation qu'on nous avait dit être sans espoir donne un élan extraordinaire vers le même résultat : cela m'a été d'un précieux secours.

C'est en songeant à ce coup de pouce dont je rêvais que j'ai voulu bricoler ce petit livre, y rassembler les auteurs, les perspectives, les réflexions qui m'ont soutenue durant ma traversée du désert. Pour permettre à d'autres routards épuisés de faire à leur tour un peu de pouce sur mon expérience.

Voici donc un petit *vade-mecum* à traîner, aussi bien dans sa poche de pyjama que dans son sac à main, à la maison qu'à l'hôpital. Un bâton du pèlerin sur lequel s'appuyer le temps d'une courte page, lorsque les jambes ou l'espoir menacent de flancher.

Le cri du corps

L'appel au secours, pour être socialement recevable, doit prendre la forme d'un désordre organique, exogène, indépendant de la volonté du sujet. (Roland Jaccard)

Dans une société où seules l'excellence et la performance sont valorisées, la souffrance morale a mauvaise presse. Se risque-t-on à l'exposer, on risque de se faire répondre pudiquement : « Cachez cette détresse qu'on ne saurait voir » ou, plus cavalièrement : « Traitez cela par le mépris ! »

Or, on est souvent grugé par un cancer de l'âme avant que celui du corps se déclare. Honteux, on le tait alors qu'on voudrait le crier à la face du monde pour ne pas en crever. Mais lorsqu'il s'incarne, bien visible sur les radiographies, validé par le système médical, reconnu comme dangereux, tout à coup, on nous entend.

Puisque la dépression et la névrose agacent, mais que les maladies physiques émeuvent et garantissent à coup sûr attention et compassion, la tentation de se réfugier dans la maladie pour être enfin entendu est grande.

En s'accordant le droit de dire sa souffrance et en trouvant le moyen de le faire, il n'est plus nécessaire de se réfugier dans la maladie, la folie ou la violence pour se faire entendre.

Aujourd'hui, je laisse sortir le cri de mort qui m'étouffe depuis trop longtemps. Pour ne plus le laisser me ravager l'intérieur.

« T'appelles ça vivre, toi, Jos? »

À l'heure actuelle, la seule aventure vraie qui existe dans les pays industrialisés, c'est d'être malade ou d'avoir peur de mourir...
(Pr Jean-Paul Escande)

Habitués à voir des catastrophes à cœur de jour sur nos écrans de télévision, nous devenons anesthésiés à nos petites anecdotes quotidiennes. Nos vies nous semblent ternes et routinières. Prévisions et sondages font disparaître tout suspense : nous savons d'avance quel temps il fera, quel gouvernement sévira. Pour maintenir l'excitation devant l'inconnu, il ne reste à peu près que la loto, le casino... et les bobos.

Surtout si elle est potentiellement mortelle, la maladie provoque une telle peur en nous et dans notre entourage qu'elle nous donne le sentiment d'être enfin, à notre tour, les héros d'une tragédie. Comme s'il fallait être en danger de mort pour se sentir enfin vivre.

Le plus souvent, c'est dans une vie qu'on trouve « plate à mourir » que surgit la maladie. Elle se faufile dans un organisme à l'électroenthousiasmogramme plat. Là où l'aiguille de l'intérêt est au point mort, elle en profite pour créer de l'action.

Finie la maladie à défaut d'aventure. L'émotion forte naît aussi bien de petits gestes, regards ou échanges, secrets et discrets.

Aujourd'hui, je m'embarque dans une nouvelle aventure : la découverte de la grandeur de ma petite vie.

Guérir, pourquoi?

La moitié de la cure réside dans l'envie de guérir. (Sénèque)

Lorsque le philosophe Wittgenstein apprit qu'il était atteint d'un cancer de la prostate, ce qui le désola le plus ne fut pas d'apprendre le diagnostic mais d'entendre son médecin lui dire qu'il existait une thérapie efficace pour sa maladie. « Je n'ai aucun désir de continuer à vivre », lui a-t-il rétorqué. Et, bien sûr, il en mourut.

Même s'il existait une thérapie efficace contre tous les types de cancer, à tous les stades de leur développement, seuls en guériraient les gens traités possédant l'envie de guérir, cette moitié essentielle de la cure qui, selon Sénèque, est aussi importante que le traitement.

« Tout le monde veut guérir ! » pourrait-on croire. Pas nécessairement. Il y a un fossé entre la bouche qui articule : « Je veux guérir », et le corps qui gronde sourdement : « Guérir ? mais POUR QUOI FAIRE ? » Ce que Wittgenstein ne craignait pas d'avouer, plusieurs le ressentent confusément.

L'envie de guérir suppose un intérêt réel à la poursuite de ma vie. En m'en créant un, je peux retrouver la santé.

Je m'établis une liste de projets, anodins ou d'envergure, peu importe pourvu que, juste à m'imaginer les réaliser, une étincelle de plaisir allume mes yeux.

Un pied dans la tombe, mais l'autre?

L'homme n'a justement pu conquérir ses concepts les plus anciens et les plus simples autrement qu'en les opposant à leur opposé, et ce n'est que progressivement qu'il a appris à isoler les deux versants de l'antithèse et à penser l'un sans le mesurer consciemment à l'autre. (Karl Abel, cité par Sigmund Freud)

Lorsqu'on se retrouve un pied dans la tombe, la grande question est de savoir où on mettra le deuxième, en suspens dans les airs. C'est en flagrant délit de déséquilibre que nous surprend la maladie. Jusque-là, on a traîné sa vie comme un boulet, sans l'avoir jamais vraiment assumée. La maladie nous oblige à décider où poser le deuxième pied. Dans la tombe ou en dehors ?

Durant cette période de doute et de flottement, on est secoué par des sentiments violents et contradictoires, envahi simultanément par l'horreur et la jubilation. L'horreur de crever, mais en même temps la jubilation de pouvoir enfin exprimer sa souffrance.

On peut, consciemment, prendre la décision de guérir et sentir quand même la bataille entre l'envie de mourir et celle de guérir se poursuivre en nous. Dans ma tête, les mots menaient le charivari et témoignaient de mon ambivalence. Des mots au sens totalement opposé – rémission/récidive, régression/progression, guérir/mourir – surgissaient, soudés comme des siamois, comme si je ne parvenais toujours pas à me situer face à la vie ou à la mort.

Je ne m'alarme pas de cette « inquiétante étrangeté » : une décision vitale est en train de se prendre au plus profond de moi.

Qui n'a pas peur du gros méchant loup?

Tel est exactement le message que les contes de fées, de mille manières différentes, délivrent à l'enfant : que la lutte contre les graves difficultés de la vie est inévitable et fait partie intrinsèque de l'existence humaine, mais que si, au lieu de se dérober, on affronte fermement les épreuves inattendues et souvent injustes, on vient à bout de tous les obstacles et on finit par remporter la victoire. (Bruno Bettelheim)

Le cancer fait peur. À tous, aux braves comme aux pleutres. Aux instruits comme aux incultes. L'intelligence, l'information, la culture n'y changent rien. La seule idée d'avoir le cancer terrifie.

Il persiste un paradoxe constant à ce propos. On sait qu'on guérit actuellement 50 % de tous les cancers et, malgré cela, lorsqu'on apprend qu'on en est atteint, on reçoit toujours le diagnostic comme une condamnation à mort. On se souvient de la statistique de mort, on oublie celle des guérisons. On craint toujours de faire partie de la moitié qui n'en guérit pas.

Et si le cancer était le loup, l'ogre, la sorcière de nos contes de fées de grandes personnes? Petits, nous aimions bien avoir peur. Pourquoi serions-nous si différents une fois grands?

Le cancer est souvent notre Bonhomme-Onzième-Heure. Quand il passe, c'est le temps de nous réveiller. Nous avons besoin de cet épouvantail pour nous rapprocher du cœur de nos forces. Le cancer permet de sortir du bois dormant, du four de la sorcière, du ventre du loup, pour enfin tester le goût de la vie à l'air libre.

Je suis un Petit Poucet plein de ressources, capable de déjouer l'ogre, le loup, le monstre. Je vais sauver ma peau.

Maladie contagieuse

Non seulement je ne suis pas convaincu que la lutte contre le cancer passe par l'information sur le cancer, mais j'ai cette croyance – ridicule, bien sûr – que contrairement au sida qui peut se prévenir, j'ai cette croyance déraisonnable que plus on parle du cancer, plus on le propage.
(Pierre Foglia, *La Presse*)

On nous en martèle la cervelle dans les journaux et le métro : « Dix millions de nouveaux cas de cancer dans le monde pour la seule année 2000 » (Cancer Research Campaign), « Au Québec le cancer frappera une personne sur trois... Ça peut nous arriver à tous » (Fondation québécoise du cancer). Ces campagnes d'information qui se veulent avertissement deviennent insidieusement conditionnement : nous devenons à notre insu programmés pour confirmer les statistiques plutôt que de les invalider.

Lorsqu'il s'agit de suicide, on reconnaît facilement le danger de contagion, pouquoi en serait-il autrement du cancer ? À le voir à répétition terminer prématurément des vies, à se le faire présenter comme une fatalité, on en vient à le percevoir comme la solution finale, l'*exit,* la sortie de secours d'une vie dans l'impasse.

Aldous Huxley écrivait dans *Le Meilleur des mondes* que « toute science doit parfois être traitée comme un ennemi possible ». Les statistiques apocalyptiques qui entretiennent la psychose du cancer et alimentent la cancérophobie ambiante font partie de ces savoirs potentiellement nuisibles.

Je deviens moins perméable aux prédictions des météorologues de la santé. Les tempêtes annoncées n'ont pas toujours lieu.

Héréditaire, le cancer?

Finalement, une seule réponse est scientifiquement possible : on ne peut pas dire que le cancer soit une maladie héréditaire et on ne peut pas dire non plus qu'il ne le soit pas. *(Encyclopédie Bordas)*

Mon arrière-grand-mère est morte du cancer à 40 ans, de même que mon grand-père, de nombreux oncles et tantes, et surtout ma petite sœur, à 27 ans. De là à me croire née sous le signe du cancer, il n'y a qu'un pas que j'ai vite emboîté.

Scientifiquement, on ne peut dire si le cancer est héréditaire ou pas. Empiriquement, dans mon laboratoire très personnel, je dirais qu'il l'est. Pas autant toutefois dans les gènes que dans les réponses apprises. Un peu de nature, beaucoup de culture.

Henri Laborit a bien exposé les déboires qui guettent ceux qui n'ont pas appris à se battre ou à fuir devant l'agresseur, qui restent figés sur place. Cette position est une terre d'accueil aux maladies de toutes sortes, et au cancer en particulier. L'inertie, la paralysie autorisent l'envahissement du territoire. Le cancer est une fuite mal comprise. C'est la mauvaise sortie de secours.

« Car ne meurt que celui qui veut mourir, celui à qui la vie est devenue insupportable », soutenait le médecin Georg Groddeck au début du siècle. Je l'ai vérifié, *in vivo*, en moi et près de moi. Après sa mort, j'ai trouvé cette note écrite par ma sœur à 19 ans : « La vie meurt peu à peu en moi. Je vis en espérant la mort. Le bonheur ? L'amour ? La vie ? LA MORT ! »

Guérir, c'est trouver une autre porte de sortie.

Écœurés de mourir?

Vous êtes pas écœurés de mourir bande de caves, c'est assez!
(Claude Péloquin)

Le psychanalyste J.-B. Pontalis parle du « fantasme d'omnipotence [...] qui est déjà discrètement à l'œuvre dès qu'il s'agit de restaurer, de réparer ». L'ambition de guérir serait-elle aussi une maladie ? L'auteur nous rassure heureusement : « Il y a une ambition de guérir qui est à la fois défi et soumission à la mort... »

Si on ne possède pas cette ambition de guérir lorsqu'on reçoit un pronostic d'incurabilité, il y a de fortes chances qu'on ne fasse que le confirmer. Norman Cousins, qui a déjoué le sien, explique : « N'ayant pas accepté le verdict, je ne me suis pas laissé enfermer dans le cercle vicieux de la peur, de la dépression et de la panique souvent associées à une maladie prétendument incurable. »

Est-ce faire preuve d'omnipotence ? Non. Vouloir être immortel et se garantir de la mort le seraient. Ne pas être complice d'une mort prématurée ne l'est pas. C'est souvent un fantasme d'impuissance qui nous a conduits à la maladie, il faut donc récupérer une bonne dose de cette puissance reniée pour en sortir.

Oui, nous sommes écœurés de nous laisser mourir avant terme. Non, nous ne serons pas si caves...

Je ne suis ni impuissant ni tout-puissant. J'ai plus de pouvoir sur mon corps que je le croyais auparavant. Je l'exerce pour guérir.

Guérir avant de tomber malade

... à l'instar de la majorité de ceux qui jamais n'ont personnellement fait l'expérience de la maladie, je n'avais pas la moindre idée de ses véritables dimensions ni de la nature de la souffrance qu'endurent tant de victimes à mesure que l'esprit poursuit son insidieuse déliquescence. (William Styron)

Les cancers physiques sont du domaine public alors que les cancers moraux demeurent le plus souvent privés. Les premiers reçoivent attention et subventions. Les seconds très peu. Pourtant, le désespoir, la dépression, la lassitude d'être grugent de façon aussi vorace que la lésion de la chair.

Faire face aux ténèbres de l'esprit demande autant de courage, sinon plus, que de faire face à une affection physique parce qu'on le fait souvent dans une plus grande solitude. L'entourage compatit moins car, comme le dit Styron, ce n'est souvent qu'après avoir soi-même connu l'insidieuse déliquescence de l'esprit qu'on en comprend l'horreur.

La fièvre avertit d'un foyer d'infection dans l'organisme. La dépression avertit d'un foyer d'affliction dans l'âme. Il faut la soigner avant que le corps ne *tombe malade*. Avec la même célérité et la même constance que s'il s'agissait d'un cancer de chair. Avec les mêmes outils : ceux qui permettent de se réapproprier sa vie.

Je plonge au fond de mon désespoir pour le comprendre et ensuite remonter à la surface respirer l'espoir à pleins poumons.

La terreur pour guérir de la peur

La peur replie l'homme sur lui-même mais il y a dans la terreur une dimension sacrée, parce qu'elle affronte l'esprit humain à l'inconnu. L'homme ne fait pas le poids devant ce qui le dépasse, mais vient un moment où cette légèreté même se transmute, paradoxalement, en courage. (Maurice Cocagnac)

Avant la maladie, on vit souvent sous le joug de la peur : peur de déplaire, de se tromper, de faire parler de soi, de ne pas faire parler de soi. On a peur de son ombre. On vit pétrifié.

La maladie agit souvent comme un véritable coup de grisou qui fait voler nos peurs en éclats et nous remet en action. Autant la peur peut paralyser, autant la terreur peut dynamiser.

Maurice Cocagnac, frère dominicain spécialiste des civilisations indiennes, rappelle justement que les sorciers avaient coutume de provoquer chez le malade de grandes frayeurs afin de mobiliser ses pouvoirs internes de guérison. « Le coup porté par un sorcier crée souvent la terreur qui, paradoxalement, délivre de la peur. »

En ce sens, il y a du sorcier dans le cancer. Nous confrontant à notre mortalité, il provoque en nous une terreur libératrice qui nous affranchit de nos petites peurs quotidiennes. Nous comprenons qu'elles n'étaient que des déguisements de notre peur fondamentale : celle de la mort. Une fois celle-ci mise à découvert, nous pouvons abandonner peu à peu nos petites peurs, sortir de notre paralysie et retrouver le courage de vivre avant de mourir.

La terreur a secoué mon organisme las et endormi. Je sens maintenant l'effroi se transformer en moi en force salutaire.

T'ont-ils condamnée?

Une fois marqués, une fois immatriculés, les espions et les condamnés ont pris, comme les diacres, un caractère indélébile. (Balzac)

De façon plus ou moins justifiée, la rectitude politique a fait bannir de nombreux mots du langage courant en les rendant caducs ou tabous. Dans cet autodafé, on a oublié de brûler un mot dont les malades devraient exiger la prohibition, par respect pour leurs espoirs et leurs efforts de guérison. Ce mot qui donne froid dans le dos et le goût de hurler aux malades, c'est : **condamné.**

Condamné à quoi et pourquoi? Pour avoir commis quelle faute? Celle d'être né? Déjà, la maladie semble à plusieurs d'entre nous être la punition de quelque faute mystérieuse, la culpabilité demeurant souvent notre talon d'Achille. Si, en plus, on utilise à son sujet une terminologie associée à la criminologie, il est encore plus difficile d'invalider cette corrélation.

Une nuit, j'ai rêvé qu'une voix venant du ciel, comme celle qui s'adressait à Moïse sur le mont Sinaï, tonnait à mon endroit : « CONDAMNATION ! » Je me suis éveillée en sueur, convaincue d'être condamnée à mort. Pour me protéger, j'ai boycotté ceux qui me disaient « condamnée », jusqu'à ce que ma conviction de pouvoir guérir soit assez solide pour leur répliquer... correctement.

Je ne permets à personne de saper mon espoir par des termes et des attitudes fatalistes. On ne condamne que les criminels.

Oublier les statistiques

Les statistiques sont utiles quand il s'agit de choisir la forme de traitement la mieux adaptée à une maladie donnée, mais elles ne s'appliquent absolument pas aux cas individuels. On doit convaincre chaque patient qu'il *peut* guérir, quelles que soient ses chances.
(Dr Bernie Siegel)

Le cancer que j'avais était trop répandu pour être opérable et la chimiothérapie couramment utilisée ne pouvait guérir un cancer aussi étendu. On m'a proposé de participer à un protocole de recherche qui évaluerait l'efficacité d'un nouveau cocktail de médicaments.

Les résultats de l'étude publiés par la suite admettent des résultats décevants : sur 47 patients, 3 seulement ont survécu plus de 42 semaines. Statistiquement, j'avais donc 6,4 % de chances de survivre plus d'un an. C'est d'ailleurs ce que mes lectures et les chuchotements de corridor m'avaient laissé comprendre.

J'ai délibérément ignoré toute statistique. Armée du livre de Bernie Siegel et appuyée par mes médecins (onco-couteau-coco), je me suis accrochée au fait qu'un comédien à la maladie aussi avancée que la mienne avait survécu. « Et si un malade peut guérir, tous les malades peuvent guérir », dit Siegel. C'est en m'accrochant à cet espoir que j'ai pu être l'un des 3 patients à avoir survécu plus de 42 semaines, et même plus de 500 à ce jour.

La seule statistique valable pour chaque personne est qu'elle a 100 % de chances de guérir. Les autres ne sont que mensonges.

La cure miracle

La distinction entre la guérison miraculeuse et l'application rationnelle de la technique est en train de s'estomper. L'institution médicale réclame aujourd'hui le droit de procéder à des guérisons miraculeuses. (Ivan Illich)

Pas une semaine ne s'écoule sans qu'on nous promette la fin du cancer. Tous les espoirs sont mis, successivement et temporairement, dans les anticorps monoclonaux ou le vaccin curatif, dans le cartilage de requin ou l'écorce de sapin. Depuis que l'ex-président américain Nixon a déclaré la guerre au cancer en 1971 pour compétitionner la conquête de la Lune de son prédécesseur, des milliards de dollars ont été engloutis dans la recherche du remède miracle contre le cancer. Et « la guerre est loin d'être gagnée », constatent les stratèges scientifiques !

Pour « réveiller » le système immunitaire et le forcer à détruire les cellules cancéreuses, les chercheurs ne jurent que par les méthodes très *high tech* et affûtent des armes de plus en plus pointues et coûteuses. Et pourtant, les grands de ce monde qui accourent à la célébrissime clinique Mayo pour y recevoir ces traitements de pointe ne guérissent pas nécessairement.

Plutôt que d'attendre le miracle de la science-providence, je mobilise mon désir de vivre. Le miracle s'accomplit d'abord dans le système immunitaire que l'on réussit à « réveiller » soi-même.

Je n'attends pas la cure miracle pour guérir. Avec les thérapies existantes et mon désir, j'ai tout ce qu'il me faut pour le faire.

Les faux espoirs n'existent pas

On devrait par exemple pouvoir comprendre que les choses sont sans espoir, et cependant être décidé à les changer. (F. Scott Fitzgerald)

Les probabilités de retrouver des survivants après un tremblement de terre sont souvent infimes, mais on entreprend quand même des recherches dans les décombres et on y retrouve quelquefois un être qui a survécu dans des conditions incroyables. C'est cette attitude qu'il faut adopter devant le cataclysme du cancer.

Certains médecins s'abstiennent de parler d'espoir, de crainte de susciter de « faux espoirs » chez des personnes atteintes de cancer avancé. Or, sans espoir, il est impossible de guérir. D'autres, par ailleurs, reconnaissent que bien qu'imprévisible et inexplicable la guérison demeure toujours possible parce qu'elle participe du mystère et que ce facteur n'est pas pris en compte par les statisticiens. Aussi ne ferment-ils jamais la porte à l'espoir.

Personne ne peut prévoir avec une certitude absolue l'issue de la maladie. On ne peut pas davantage « condamner » le malade que garantir sa guérison. On ignore quelles puissances restauratrices peuvent se mettre à l'œuvre tout à coup dans un organisme, à quelque stade de la maladie qu'il soit rendu. Les médecins sages ne font jamais de prédictions : ils se contentent de dire que la guérison est toujours possible, sans que ce soit une garantie, ni une promesse, ni même une obligation pour le malade, mais plutôt une ouverture, une possibilité.

Je pars à la recherche du survivant sous les décombres en moi.

Les miracles existent

Le malheur est le père de tout miracle, ou peu s'en faut. (Shakespeare)

Pour certains, parler de miracle, à plus forte raison y croire, fait naïf et primaire. Chaque journée amène pourtant son lot d'événements inexplicables que nous acceptons sans sourciller.

Le cancer est aussi une sorte de miracle puisque, à ce jour, il demeure inexpliqué. On y croit quand même. La guérison n'en est que l'envers : tout à coup, les cellules qui étaient parties à l'épouvante sans raison se calment et reprennent leur activité normale.

Le miracle peut se produire dans la fraction de seconde où l'intention de guérir est posée. À ce moment s'opère, dans tout l'organisme, une révolution totale, une redirection radicale, que Deepak Chopra a appelée la *guérison quantique*.

Ce moment de culbute s'effectue avec la fulgurance de l'éclair et fait songer à la conversion de Paul sur le chemin de Damas : « Il lui tomba des yeux comme des écailles, et il recouvra la vue. » Jeté en bas de son cheval, Paul était devenu temporairement aveugle mais, lorsqu'il recouvra la vue, il vit différemment. La guérison est une façon différente de voir.

Je suis souple, détendu, prêt à être jeté en bas de mon vieux cheval. À laisser tomber les écailles de mes yeux. À laisser la révolution s'opérer en moi. À tourner le dos à la maladie.

Médecine abracadabra

Les nouveaux paradigmes sont à peu près toujours accueillis avec froideur, et même moquerie et hostilité. Ils apparaissent comme des hérésies et suscitent l'attaque. (Marilyn Ferguson)

Délire du Nouvel Âge, porno de l'âme, médecine mystique, théraputerie, escroquerie, patamédecine, bibines alternatives : les flèches volent bas lorsqu'il s'agit de dénigrer tout ce qui s'éloigne quelque peu de la médecine officielle.

Pour dénoncer les abus d'un délire, ses détracteurs en utilisent un autre. Ainsi, le Dr Jean-Marie Abgrall, dans *Les Charlatans de la santé*, y va d'une charge à fond de train contre le « bazar du bizarre », ces foutaises qui « font partie du conditionnement culturel visant à abêtir les citoyens et à en faire des troupeaux de gogos ».

Madeleine L'Engle note dans *The Irrational Season* qu'un des grands maux du XXe siècle est la querelle entre l'esprit conscient et l'inconscient, le rationnel et l'irrationnel. Selon elle, la zone d'ombre entre la raison et l'intuition, l'esprit et le cœur, en terrifie tellement certains qu'ils préfèrent en nier l'existence.

Or, la maladie participe du mystère. La guérison aussi. Accepter cette part de mystère n'est pas faire preuve de gogoterie. Les plus virulents détracteurs des pratiques complémentaires à la médecine traditionnelle n'ont souvent jamais été malades. Ils racontent ce qu'ils feraient si... Peut-être se résigneront-ils un jour à paraître un peu gogos à leur tour pour guérir.

Mon corps a un bon jugement. Je fais confiance à ses choix.

Âmes molles?

Il est vraisemblable que le principal crédit des miracles, des visions, des enchantements et de tels effets extraordinaires, vienne de la puissance de l'imagination agissant principalement contre les âmes du vulgaire, plus molles. On leur a si fort saisi la créance qu'ils pensent voir ce qu'ils ne voient pas. (Montaigne)

Personne ne souhaite faire partie des âmes molles et crédules du vulgaire. On préfère de loin s'associer aux sceptiques, à qui on ne fait pas avaler de couleuvres. Guérir de maladie incurable ? À d'autres !

Or, demeurer strictement rationnel devant une maladie déclarée incurable et mortelle, c'est en concéder la fin inéluctable. Vouloir en guérir, c'est accepter de faire une incursion dans le domaine de l'intangible, de se dissocier des Thomas qui ne croient que ce qu'ils voient.

Du début à la fin du XXe siècle, des cliniciens sont convaincus de l'importance de la foi dans la guérison des maladies organiques. Le Dr William Osler, clinicien réputé du début du siècle, en était si bien persuadé qu'il a écrit sur le sujet un livre au titre explicite : *La Foi qui guérit.* L'oncologue C. Simonton, pour sa part, écrivait récemment que « ... sans convictions – celles du patient et de l'équipe médicale –, sans foi suffisante en la guérison possible pour soutenir et créer une attente de bonne santé, le traitement physique est incomplet ».

Pour guérir l'incurable, j'accepte de troquer la méfiance pour la* créance. *Sauver sa vie vaut bien une risée.

Guérison ou rémission?

Quant au terme *guérison,* seul un esprit candide peut se laisser aller à le prononcer. (Michel de M'Uzan)

En oncologie comme en psychanalyse, l'usage du mot *guérison* est tabou. Parler de la guérison du cancer devant son médecin le fait immanquablement tiquer. Il préfère parler de rémission.

Or, la rémission, c'est l'arrêt *provisoire* des symptômes de la maladie. Comment croire à la possibilité de sa guérison si celui qui nous soigne n'ose même pas en prononcer le mot.

La réticence des médecins à parler de guérison à propos du cancer favorise un cercle vicieux conforme au bon vieux principe de la saucisse Hygrade : Moins les gens y croient, moins ils guérissent. Et moins de gens guérissent, moins de gens y croient.

La rémission implique l'atténuation *momentanée* du mal. S'accrocher à cette notion, c'est donc attendre le retour du mal. Mieux vaut, au moins, s'en tenir à l'autre sens du mot *rémission,* qui est pardon, remise de faute. Elle pardonne ou non, cette maladie ? Si elle pardonne, c'est effacé et on recommence. Effacée la faute, pardonné le péché, balayée la maladie.

Mieux encore, soyons candides et n'hésitons pas à parler de guérison. Laissons ricaner ou s'inquiéter les mauvais augures : la guérison part avant tout d'une certitude intérieure, la nôtre.

Je ne crains pas d'utiliser le seul terme qui me permet de réaliser la guérison : guérison.

Le syndrome du dalot

La dépression est une reddition partielle à la mort, et il semble que le cancer soit un désespoir vécu au niveau cellulaire. (Arnold Hutschnecker)

Le désespoir est souvent lié au sentiment d'échec. La maladie surgit lorsqu'on se sent piégé dans une partie de quilles pourrie. On est comme cette boule qui tombe inexorablement dans le dalot et n'atteint jamais la cible. On voit que sa vie ne va nulle part mais on ne voit pas comment la ramener dans le jeu.

La maladie permet au moins d'arrêter la partie. Elle accorde un répit. Pendant qu'on soigne son corps, on peut faire le ménage de son esprit, s'interroger, rajuster le tir.

Quel projet à réaliser maintenant m'enlèverait le goût de mourir ? me réinstallerait dans une partie de vie que j'ai le goût de jouer ? me confirmerait, quand je mourrai, que ma vie n'a pas été un dalot chronique ?

Les sportifs améliorent leur performance en visualisant précisément leurs mouvements. Je vais faire de même en projetant sur mon écran intérieur ce que je voudrais être et avoir fait dans 10 ans. Je détermine clairement le boulot que je veux abattre avant la fin de la joute.

Rien ne m'oblige à rester dans le dalot, sauf la peur de gagner la partie. J'ai moi aussi le droit de réussir quelques abats.

Tout nu dans la rue

Pourquoi ne suis-je pas mort dès le sein; pourquoi ne suis-je pas mort dès ma naissance ? (Job, III, 11)

On vit souvent avec le sentiment d'être illégitime, de ne pas avoir le droit d'exister tel qu'on est. On essaie de se faire tout petit pour prendre le moins de place possible et déplacer le moins d'air possible. On marche sur la pointe des pieds. On respire sur la pointe des poumons.

Air, chaleur, bouffe, temps, énergie, fric... on vit avec la crainte constante « d'en manquer » un jour, avec la certitude de finir ce jour-là tout nu dans la rue.

Quand on ne se sent pas légitimé d'exister, on vit sa vie de façon radine. En s'économisant. En marchant à petits pas, à petit souffle, pour éviter la rue, la paille, le tas de fumier. On s'asphyxie lentement mais sûrement.

Cette philosophie des ressources limitées provoque l'attachement aux petites choses, borne l'horizon. Elle fait croire que tout est inabordable, inaccessible.

À vivre peureusement et chichement, on se ratatine, on dépérit par inanition. On disparaît par attrition. On donne le feu vert à la maladie.

Dès aujourd'hui, je commence à respirer à grandes lampées, à marcher à grandes enjambées. L'air et l'énergie sont des ressources illimitées. Plus j'en brûle, plus il en reste.

Gagner sans se battre

En enseignant la relaxation, vous enseignez aux individus à gagner les courses sans pédaler, à gagner sans se battre, le paradoxe ultime.
(Kenneth Greenspan)

La réaction courante face au cancer est la déclaration de guerre : « Je me déclare en état de guerre totale. » (Fritz Zorn). « Certains disent qu'il ne faut rien faire. Visualiser son cancer, lui parler. Ben pas moi. Moi je tirerai, du nucléaire, n'importe quoi. M'as l'cramer le calvaire. » (Pierre Foglia)

Face au cancer, je ne me suis pas battue. J'étais en état de guerre contre moi-même depuis si longtemps que mon corps n'en pouvait plus. Il ne voulait plus d'aucun fouet, d'aucune bataille, même pas contre le cancer. Je me suis longuement interrogée : « Est-ce que je peux guérir sans me battre ? » et j'ai compris que c'était la seule façon de le faire.

J'ai alors choisi de gagner la course sans pédaler, tout en étant terrifiée des conséquences possibles. S'abandonner, n'est-ce pas abandonner la partie ? Lâcher prise, n'est-ce pas jeter la serviette ? Si je ne l'affrontais pas toutes griffes dehors, la mort n'allait-elle pas en profiter pour me terrasser ?

S'abandonner, c'est apprendre à accepter la mort **aussi** comme une possibilité. C'est comprendre que l'admettre n'est pas lui laisser le champ libre. Devoir accepter la mort pour guérir, n'est-ce pas pousser le paradoxe trop loin ? Non. C'est la seule façon de faire.

Aujourd'hui, je choisis le « beau risque » de l'abandon.

Un chameau fidèle

C'est mon esprit qui est malade, l'affection de mes poumons n'est rien d'autre que le débordement de ma maladie mentale. (Kafka)

Le cancer du corps n'est qu'une métastase du cancer de l'âme. Il faut aussi, sinon d'abord, soigner le cancer *princeps*, la tumeur d'origine, pour que la métastase disparaisse. Pour soigner l'âme, il faut se préparer à une traversée du désert et se trouver un chameau fidèle. Qui ait un stock abondant de patience et de compétence. Qui puisse nous entendre gémir sans s'effrayer, sans prendre le mors aux dents ni s'enfuir en nous laissant seuls dans nos sables mouvants.

Je soignais mon âme depuis cinq ans lorsque la métastase au poumon s'est déclarée. Au début du périple, je m'étais vue en plongée, comme si j'avais filmé la scène du plafond. J'étais assise dans le sable, à l'orée d'un désert, fouillant dans un coffre duquel je sortais de vieux jouets. Assis derrière moi, un chameau calme, placide, ayant de grandes quantités d'eau en réserve, veillait.

Durant cinq ans, il ne m'a jamais fait faux bond, mais j'ai failli le virer lorsque le cancer s'est déclaré. Quelle absurdité ! Se soigner l'âme pour voir le corps flancher. J'ai déblatéré tant et plus : doutes, reproches, déceptions, tout y est passé. Déblatère toujours, mon lapin, le chameau, lui, ne blatère pas ! Finalement, j'ai traversé désert et cancer en sa compagnie. Je ne l'ai jamais regretté.

Je me cherche un soigneur d'âme avec la même exigence et la même rigueur qu'un soigneur du corps. C'est capital.

Comprendre pour guérir

J'suis comme un scaphandre
Au milieu du désert
Qui veut comprendre
Avant d'manquer d'air (Richard Desjardins)

Certains se rebiffent à l'idée de considérer la maladie comme une chose dont on est responsable, soutenant que c'est culpabiliser le malade. Comme Susan Sontag dans son livre *La Maladie comme métaphore*, ils croient que « Les théories psychologiques de la maladie constituent un moyen puissant de rejeter la faute sur le malade. Lui expliquer qu'il est, sans le savoir, la cause de sa maladie, c'est aussi ancrer en lui l'idée qu'il l'a méritée ». « Mais responsabilité et culpabilité sont deux choses différentes », pense par ailleurs Steven Levine, l'auteur de *Qui meurt ?* Il ajoute : « À l'instar des gens qui, confrontés à la douleur, essaient de s'en débarrasser avant d'en saisir la cause, ceux qui cherchent à se guérir sans la moindre compréhension de leur déséquilibre ne font qu'accroître leur malaise. »

Chercher à comprendre ce qui dans son histoire personnelle a permis à une maladie aussi destructrice de s'installer, voir en quoi la maladie parle à notre place ne sont pas s'en culpabiliser. Comprendre la logique de sa propre histoire, la place et le sens qu'y occupe la maladie, permet au contraire de la faire disparaître.

J'essaie de comprendre le sens de la maladie dans ma vie, à ce moment précis, sans me faire le moindre reproche.

L'in vivo

Les maladies planent constamment au-dessus de nos têtes, leurs graines portées par le vent, mais elles ne s'installent pas si le terrain n'est pas prêt à les recevoir. (Claude Bernard)

Le XXe siècle a consacré des milliards d'heures et de dollars à la recherche sur le cancer, mais celui-ci n'a toujours pas livré ses secrets. L'épidémiologiste John Baylor, en faisant le bilan des recherches en cancérologie des 25 dernières années, parle même d'échec. La « guerre », comme ils aiment dire, est loin d'être gagnée.

On interroge trop les souris de laboratoire et pas assez les cobayes humains. On scrute trop les lamelles de tumeurs, pas assez ceux qui les ont développées. On étudie trop le germe, pas assez le terrain. On capitalise trop sur l'*in vitro*, pas assez sur l'*in vivo*.

La bataille n'est pas d'aujourd'hui. Louis Pasteur et Claude Bernard se disputaient sur des positions analogues il y a plus de 100 ans. Pasteur a fini par reconnaître avant de mourir que Bernard avait raison : le terrain fait la différence.

Toutes les réponses ne sont pas cachées dans les paillettes de tumeurs sous le microscope. Le Petit Prince le savait bien, l'essentiel est invisible pour les microscopes.

Je n'attendrai pas toutes les réponses de la science : je vais chercher aussi les miennes, analyser mon propre compost. Pourquoi mon terrain a-t-il accueilli la graine du cancer ?

La Divine Maladie

Au milieu du chemin de notre vie
je me trouvai dans une forêt obscure
égaré hors de la voie droite (Dante, *La Divine Comédie*)

Au milieu du chemin de mes jours,
j'irai aux portes de l'Enfer (Isaïe, 38, 10, *Poème d'Ézéchias*)

« À cette époque Ézéchias fut malade à en mourir. Le prophète Isaïe, fils d'Amos, vint le trouver et lui dit : « Ainsi a dit Yahweh. Mets ordre à ta maison, car tu vas mourir, tu ne guériras pas. » Lorsque, à son tour, le médecin nous parle ainsi, nous entamons, comme Ézéchias et Dante, notre descente aux enfers. À mi-chemin de notre vie, nous nous retrouvons dans cette « forêt obscure », égarés dans un lieu de dissonances, déserté de toute harmonie, à pleurer sur cette moitié de notre vie que nous ne vivrons pas.

Mais la traversée des cercles de l'enfer nous permet de réussir le rite de passage auquel nous n'avions pas satisfait auparavant pour vraiment choisir de vivre. Une fois ce passage accompli, il arrive souvent que nous puissions recouvrer la santé comme Ézéchias. Car Yahweh fut touché par sa douleur et envoya Isaïe lui dire : « J'ai entendu ta prière, j'ai vu tes larmes. J'ajoute à ta vie quinze années. » Ézéchias le survivant composa alors un magnifique poème d'action de grâces dans lequel il chante sa vie retrouvée.

Je traverse la forêt obscure en pleurant, en priant, en gémissant, mais je vivrai l'autre moitié de ma vie dans la joie, en santé.

Ferme ta trappe, petit Spartiate

Les enfants volent donc avec tant de circonspection que, dit-on, l'un d'eux, ayant dérobé un petit renard qu'il cacha sous son manteau, se laissa déchirer le ventre par les ongles et les dents de cet animal afin de dissimuler son larcin, et tint bon jusqu'à la mort. (Plutarque)

Au IXe siècle avant Jésus-Christ, Lycurgue établit de sévères principes éducatifs qui obligeaient les petits spartiates à perdre la vie plutôt que la face, à mourir plutôt que d'avouer.

Trois mille ans plus tard, on fait pareil. Sans trop savoir quel renard on a bien pu dérober ni quel crime on a pu commettre, on se retrouve, comme ce jeune Spartiate, porteur d'un secret honteux qui nous gruge les entrailles et dont il est interdit de parler. On continue d'obéir à des lois antiques, à vivre faux, à faire semblant, à montrer uniquement le beau côté des choses, à occulter le moins joli. Cette culture de l'image, du trompe-l'œil, de la honte nous oblige à taire la souffrance qui nous laboure le ventre, qui nous bouffe tout cru.

Et pourtant, comme l'a dit Wilhelm Reich : « Aussi longtemps que l'éducation engendrera la résignation caractérielle et les cuirasses musculaires, il ne pourra être question d'extirper totalement ce fléau qu'est le cancer. »

J'ouvre tout grand ma cape. Je laisse voir le renard. Je le laisse filer. Je soigne ce qu'il avait commencé à gruger sous le manteau. Je ne cache plus ce que je suis, ce que je vis. Je laisse voir, savoir. Et je guéris.

Silence de mort

Seul un cri venant du fond des entrailles, seul un silence de mort aurait pu exprimer la souffrance. (Jorge Semprun)

La souffrance qu'on ne réussit pas à exprimer, le cri qu'on réprime au fond de ses entrailles y faisandent en maladie. Arthur Guidham, dans *A Theory of Disease,* écrit : « La maladie est essentiellement, de la part de l'individu, une tentative de communication avec le monde depuis sa propre position solitaire. » C'est souvent la seule façon que l'individu trouve pour sortir de son silence de mort.

Lever ce silence mortifère, dire sa souffrance autrement que dans la chair, peut être terrifiant. Comment trouver le courage d'aller débrider ces plaies dormantes ? On serait tenté de laisser porter, mais c'est risquer l'explosion des tissus. Un abcès se développe à répétition jusqu'à ce qu'on en retrace le foyer infectieux, qu'on en extirpe le germe.

De la même manière, il faut retracer le germe de la souffrance en soi. Crever l'abcès et le vider, nettoyer le site et le cautériser. Et laisser cicatriser. Par la suite, s'assurer de le drainer continuellement. En sortant de sa position solitaire. En communiquant. C'est douloureux et effrayant, épuisant même parfois, mais entre deux maux je choisis celui qui me fait du bien.

Dorénavant, j'exprime plutôt que d'expirer. Aujourd'hui, je cherche ma façon à moi de sortir du silence.

Mens sana in corpore sano? Faux!

***Mens sana in corpore sano* est une maxime absurde.**
Le corps est le produit de l'esprit sain. (George Bernard Shaw)

C'est un peu l'histoire de l'œuf et de la poule mais, à choisir, je dirais que c'est l'esprit qui a le premier et le dernier mot. Esprit troublé, corps déréglé. Dès que le corps hoquette, résiste, proteste, il faut l'interroger. Contre quoi proteste-t-il? Quelle violence lui ai-je infligée qu'il ne peut plus tolérer?

On se fait violence quand on se tait pour éviter les remous, quand on accepte des compromis inacceptables, quand on se renie pour ne pas heurter, quand on brade sa vie contre quelques sourires. Cette forme de prostitution est d'une violence terrible pour le corps.

Lorsque la migraine ou la lombalgie survient, il est souvent plus simple et plus rapide de gober du Tylenol que de retracer les sources plus obscures du malaise. Mais si on s'entête à faire la sourde oreille aux petits craquements du corps, l'escalade se poursuit. Tension, colère, déception, peur, ras-le-bol font regimber de plus en plus sérieusement la carrosserie. Les maladies graves n'apparaissent souvent qu'après une série de malaises plus bénins qu'on n'a pas su ou voulu décoder.

J'essaie de comprendre contre quoi mes cellules se sont rebellées. À quelle prostitution me suis-je résignée? À quelle rémunération tenais-je tant? Que m'a-t-elle donné?

Stress et détresse

... tout ce qui s'oppose à une action gratifiante, celle qui assouvit le besoin inné ou acquis, mettra en jeu une réaction endocrino-sympathique, préjudiciable, si elle dure, au fonctionnement des organes périphériques. Elle donne naissance au sentiment d'angoisse et se trouve à l'origine des affections dites « psychosomatiques ». (Henri Laborit)

Si, dans votre labyrinthe personnel, vous n'avez pas pu fuir certaines situations douloureuses ni vous battre pour vous défendre, vous avez dû souvent entrer « en inhibition de l'action », selon l'expression de Laborit : « ... vous ne bougez plus et tâchez de vous faire oublier de l'agresseur ».

En ne bougeant pas, en ne disant pas un mot, en respirant le moins possible, on évite les représailles, mais cette façon de sauver sa peau la met en péril.

Dès 1936, Hans Selye a démontré les effets nocifs de la frustration et de la colère rentrée sur la chimie du corps. Surproduction d'adrénaline, surmenage des glandes surrénales et système immunitaire à plat sont des portes ouvertes à l'anarchie cellulaire.

Comment éviter cette détresse toxique ? En récupérant pouvoir et espoir : l'impuissance et le désespoir sont les pires fauteurs de troubles. En apprenant à se défendre : du même coup on renforce ses défenses immunitaires. En se réconciliant avec sa colère, son agressivité, sa rage : ce ne sont pas des émotions négatives à proscrire mais au contraire de puissants leviers pour agir, lutter ou fuir, autant d'antidotes à la maladie.

Je ne serai plus jamais fait comme un rat. J'ai la clé de ma cage.

Vivre dans l'œil de l'*Autre*

Si je suivais mon goût, je saurais où buter
Mais j'ai les miens, la cour, le peuple à contenter.
(Racan, cité par Jean de La Fontaine)

Notre éducation nous a souvent appris à agir en fonction des *Autres*. Avant de dire ou de faire quoi que ce soit, il fallait d'abord se demander ce que *les Autres* allaient en dire ou en penser afin d'orienter nos paroles, faits et gestes de façon à obtenir leur approbation. *Les Autres* deviennent le Nord qui oriente notre boussole. Et bientôt, comme pour Sartre, ils deviennent l'enfer.

Pour plaire aux autres, on en vient à se prostituer. On devient champion toutes catégories dans l'art du camouflage et de l'imitation. On n'agit plus pour le plaisir de faire quelque chose qu'on aime, mais pour la réaction des *Autres*. On ne vit plus dans son ventre à soi, mais dans l'œil de l'*Autre*. Et vivre dans l'œil de l'*Autre*, c'est vivre dans l'œil de la mort.

Le meunier de la fable dit à son fils, qui ne sait plus à quel saint se vouer pour satisfaire chacun, qu'« est bien fou du cerveau, qui prétend contenter tout le monde et son père ». En réalité, il est même rare qu'on puisse contenter son père et soi-même à la fois. Mieux vaut donc suivre son instinct, son intelligence, son élan intérieur, pour ne pas devenir « *fou du cerveau* » et pour garder la santé.

Guérir, ce n'est pas tenter de contenter les miens, la cour et le peuple. Guérir, c'est tenter de découvrir mon goût à moi et de le suivre. Dorénavant, je sais « où buter ».

Suicide à l'étouffée

Nombreux sont les hommes et les femmes qui passent leur vie à se demander si la solution est le suicide, c'est-à-dire envoyer le corps à la mort qui s'est déjà produite pour la psyché. (Donald W. Winnicott)

Pour Romain Gary, le suicide fut la solution. D'autres n'appuient pas directement sur la gâchette comme lui, mais laissent le cancer le faire à leur place, lentement mais aussi sûrement. Suicide à petit feu, déguisé.

Il est épuisant pour le corps de traîner une psyché morte. De passer sa vie à faire *pseudo*. De prétendre être autre que ce que l'on est. Gary a été le roi des identités brouillées : Kacew, Gary, Ajar, double Goncourt. Il a tout fait, tout réussi : aviateur, ambassadeur, auteur... un vrai chat polymorphe, mais sous les médailles de chocolat pleurait le petit garçon jamais certain d'avoir satisfait aux attentes de sa maman. Épuisé, il s'est suicidé, laissant une note disant que c'est encore la meilleure façon de s'exprimer vraiment.

Y a-t-il une autre solution pour arrêter la souffrance, pour s'exprimer vraiment ? La seule autre est de pardonner au petit Kacew en soi de n'être que ce qu'il est. De le traiter avec compassion. D'arrêter de lui botter le derrière pour qu'il en fasse toujours davantage. Il pourra alors respirer et penser au-delà du suicide, par revolver ou par cancer.

En soignant ma psyché, je n'aurai à envoyer mon corps ni à la mort ni à la morgue.

S'en sortir

Je ne voulais pas me tuer, je voulais tuer la vie que je mène.
(Adolescente rescapée du suicide)

On passe sa vie à répéter qu'on veut s'en sortir. D'où et de quoi au juste, ce n'est pas clair, on a du mal à le préciser. On parle de se sortir du trou, du pétrin, du bois, du tunnel, du bourbier, de la merde... Chose certaine, on se sent piégé comme un rat. On se débat pour s'échapper, mais chaque tentative pour le faire nous ramène avec violence là où on appartient : dans le trou, le pétrin, le bourbier.

Et soudain apparaît la maladie, qui nous permet de mettre un nom sur ce dont on veut sortir. Elle nous permet de comprendre que ce n'est pas de la vie qu'on voulait sortir, mais d'une vie malade, d'une vie-enterrement. Elle nous sert même de levier pour sortir des sables mouvants du désespoir où nous nous enfoncions.

Guérir du cancer, c'est comme survivre à une tentative de suicide. C'est avoir la chance de rattraper sa vie et de la changer, de se sortir de l'état mortifère de la déréliction. Selon la psychanalyste Françoise Dolto, la déréliction, c'est « ... la détresse de ne plus savoir qui on est, sa vie semble en morceaux qui n'ont pas de sens », c'est « un état [...] déserté de désir ».

Guérir, c'est sortir du désert, c'est retrouver le désir. C'est recoller mes morceaux de vie et leur trouver un sens.

Sa vie au bois dormant

Ma fille est morte à l'instant ; mais viens lui imposer la main et elle vivra.
– Retirez-vous, dit-il : la petite fille n'est pas morte, elle dort.
(Matthieu, IX, 18-24)

Fille de Zaïre dans la Bible ou Belle au bois dormant dans Perreault, les « thèmes [...] de la figure qui disparaît ou meurt pour renaître ou réapparaître se retrouvent tant dans les mythes que dans les contes et dans les légendes, et dans un grand nombre de rêves individuels », note Marie-Louise von Franz, disciple de Jung et spécialiste des contes de fées.

À défaut d'être tirés d'un sommeil à l'apparence de mort par la main d'un dieu ou par le baiser d'un prince charmant, nous attendons parfois le baiser de la maladie, sinon de la mort, pour nous tirer de notre vie-coma, de notre état de zombie.

Marie-Louise von Franz dit que, chez les personnes mortes vivantes, on constate que « ... quelque chose s'est arrêté en elles. Elles semblent vivre en léthargie et se traîner sous un astre maléfique, sans que l'on sache pourquoi : tout stagne ».

Pour guérir, il nous faut découvrir pourquoi tout stagne. Trouver ce qui nous a « ensorcelés », ce qui a endormi nos possibilités créatrices. Comment en sommes-nous arrivés là ? Quelle quenouille nous a piqués ?

Le temps de la quenouille est passé. C'est le temps de me réveiller et de me dire : « Lève-toi et marche. »

Poupée de cire

J'aimerais mieux qu'il soit mort que de lui voir faire des fautes d'orthographe. (Marguerite Duras)

La honte a souvent été le pivot central de notre éducation régie selon un commandement formel : « Père et mère jamais ne déshonoreras / Pour leur éviter la honte absolument. » Une simple faute d'orthographe suffisant à les faire rougir de nous, tout ce que nous faisions devenait vite honteux.

« La honte, écrit Erik H. Erikson dans *Enfance et Société*, s'exprime d'abord par une impulsion à cacher sa figure, à s'enfoncer immédiatement dans le sol. [...] Celui qui est honteux aimerait forcer le monde à ne pas le regarder. [...] Il aimerait détruire les yeux du monde. Mais au lieu de cela, il doit souhaiter être invisible lui-même. »

La honte mène à se cacher et, à la limite, à vouloir disparaître, ce que pourrait permettre la maladie. Guérir, c'est sortir de l'ombre, de la caverne de notre honte.

Sortir le vrai soi de son antre ne se fait pas toujours facilement ni élégamment. On est d'abord maladroit, timide ou effronté. N'ayant pas souvent pris la parole, le vrai soi a du mal à articuler sa vérité. Il ne sait même plus parfois à quoi elle ressemble. Il doit réapprendre à parler.

Je ne suis plus une petite poupée de cire immobile et silencieuse. Je bouge, je parle, et je me trompe parfois mais je respire et je vis.

Les moules

Il faut prendre conscience de ce que chaque individu né dans une société est, de naissance – et, selon toute probabilité, dès avant sa naissance –, sujet au conditionnement culturel progressif relayé par tous ceux avec qui il entre en contact. (Margaret Mead)

Il arrive très souvent qu'à peine atterri sur la planète Terre on nous attribue un rôle, tracé d'avance, dans le roman familial. Pour plus de rapidité ou de commodité, on nous coule dans le moule d'un ancêtre avec qui nous présentons quelque ressemblance.

On se retrouve alors conditionné à vivre et à mourir comme l'aïeul dont on a hérité du moule. Le plus souvent, on s'y soumet, même si c'est à son corps défendant. Ayant hérité du rôle de la tante-Alice-morte-du-cancer-du-sein-à-37-ans, j'ai grandi dans la crainte de finir comme elle. Ayant franchi le cap des 37 ans saine et sauve, je croyais avoir échappé à la malédiction, mais ce n'était que partie remise.

Même si consciemment, je refusais de jouer le rôle assigné, toutes les fibres de mon corps avaient admis qu'elles respecteraient le scénario. Pour guérir, il faut réviser le roman, réécrire son rôle, l'adapter pour qu'il réponde à nos vœux plutôt qu'à ceux de l'entourage, à nos besoins bien présents plutôt qu'à une vieille histoire.

Je quitte mon moule-tombeau. Je crée mon propre rôle. J'invente une nouvelle « Fin ».

L'Ange vint

Ce qui m'a fait défaut, c'est la bête, qui elle aussi fait partie de l'humaine destinée... Mais donnez-moi donc un corps ! (Kierkegaard)

Ne pas accepter sa race, vouloir être un ange pavent la route qui mène immanquablement au désespoir, cette « maladie mortelle » disait encore Kierkegaard.

Notre éducation puritaine, tout en nous apprenant que le plaisir entraîne la punition, a jalonné notre vie de jeux interdits, en particulier ceux des sens. Pour nous montrer dignes d'amour et du ciel, nous nous sommes réfugiés dans l'angélisme. Ne connaissant pas de sexe aux anges, nous avons tenté de rejeter le nôtre.

Wilhelm Reich, le psychanalyste allemand qui a été ridiculisé et condamné à cause de ses théories politico-sexuelles, marquait sûrement un point par ailleurs lorsqu'il soutenait, dans *La Biopathie du cancer,* que le cancer n'est pas le fait d'une tumeur qui surgit spontanément dans un organisme sain, mais plutôt une maladie systémique due à une stagnation de l'énergie biologique qui se traduit par le désespoir, la résignation et ultimement une tumeur : « Le cancer est une putréfaction des tissus du corps vivant par suite de la faim de plaisir de l'organisme. »

Un corps pourrit par manque d'oxygène, d'excitation, de plaisir. La variable de l'angélisme joue dans l'étiologie du cancer.

Je cesse de faire l'ange pour faire davantage la bête. Je récupère mon corps et remets de la vie dans ses tissus stagnants.

Une si bonne personne

La grande fatigue de l'existence n'est peut-être en somme que cet énorme mal qu'on se donne pour demeurer vingt ans, quarante ans, davantage, raisonnable, pour ne pas être simplement, profondément soi-même, c'est-à-dire immonde, atroce, absurde. (Louis-Ferdinand Céline)

Plusieurs personnes atteintes de cancer pourraient porter un macaron attestant : « J'ai tout fait pour plaire. J'étouffais. »

Des études démontrent que les personnes atteintes de cancer sont souvent de celles dont on dit qu'elles sont *de si bonnes personnes*. Celles qui n'osent pas dire non, craignent de déplaire, se retiennent d'exprimer toute violence. Non qu'elles en soient exemptes – il y a de la violence en chacun de nous –, mais elles veulent à tout prix être « supportables ». « L'homme supportable est celui qui se retient de violence », d'après Alain, aussi retiennent-elles la leur. Or, cette violence retenue, niée et inutilisée demeure encapsulée en nous et y fait son travail de sape en se retournant contre nous. Elle nous gruge et nous entraîne dans la maladie.

Pour guérir, je dois reconnaître ma rage, mon hostilité, ma colère et cesser ma quête utopique de sainteté et de perfection. Dorénavant, j'utiliserai ma violence à courir, bûcher, chanter, crier, militer, créer, plutôt qu'à me détruire. Mon existence sera moins épuisante, ma santé moins hypothéquée.

Ce qui importe n'est pas qu'on me croie une si bonne personne, mais que je sois une meilleure personne envers moi-même.

Bile noire, « Chien noir », « Soleil noir »

S'il existe un enfer en ce monde, il se trouve dans le cœur d'un homme mélancolique. (Robert Burton)

De quelque pays que l'on soit, la mélancolie est un lieu de ténèbres. Pas la simple morosité, mineure et passagère, mais la vraie mélancolie, la dure, l'abyssale où grouillent les démons du dégoût de la vie et de la haine de soi, cet état de désespérance insoutenable que l'on tente de fuir dans l'alcool, le suicide ou le cancer. Byron, le poète anglais, l'appelait le « Chien noir », alors que le poète français de Nerval la qualifiait, lui, de « Soleil noir ».

Et deux mille ans avant eux, Hippocrate, qui expliquait la maladie par la variation des humeurs, reliait déjà bile noire, mélancolie et cancer.

La science moderne trouve ces explications désuètes, mais les malades ne sont pas aussi enclins à les ridiculiser car ils en ressentent la profonde vérité dans leur chair. Le système immunitaire ne voit pas l'intérêt de faire son travail de sentinelle au service d'un être qui se vomit lui-même. Il baisse la garde et laisse s'installer le désordre dans le corps honni. Tristesse et chagrin sont probablement les facteurs cancérigènes les plus répandus et les moins reconnus, même s'ils sont aussi et même davantage nocifs que mauvais gras et tabac.

Je cherche la source de la mélancolie en moi. En braquant le projecteur sur elle, je pourrai récupérer mon allant.

Elle pleurait comme une Madeleine...

Les larmes sont un des éléments qui font se refermer les coupures de la psyché, par lesquelles a fui l'énergie. (Clarissa Pinkola Estés)

Quand on commence à mettre de l'ordre dans sa vie, on peut se retrouver à verser des quantités stupéfiantes de larmes. Comme la Madeleine de la chanson, « qui pleurait comme une fontaine, toutes les larmes de son corps y passaient, oh là là, quel cafard ! » La psychanalyste et conteuse, Clarissa Pinkola Estés, nous rassure : « Certaines s'étonnent de ces larmes apparemment intarissables. Elles se tariront pourtant, mais pas avant que l'âme n'en ait terminé avec ce sage moyen d'expression. »

Il faut laisser l'âme se soigner par les larmes, d'autant plus que le cancer est une maladie de l'âme, comme Fritz Zorn l'a merveilleusement exprimé avant de mourir du cancer à 32 ans : « Je crois que le cancer est une maladie de l'âme qui fait qu'un homme qui dévore tout son chagrin est dévoré lui-même, au bout d'un certain temps, par ce chagrin qui est en lui. » N'ayant jamais réussi à pleurer, Zorn voyait sa tumeur comme des « larmes rentrées » qui « se seraient amassées dans mon cou et auraient formé cette tumeur parce que leur véritable destination, à savoir d'être pleurées, n'avait pas pu s'accomplir ».

Je laisse mes larmes parvenir à destination, exercer leur fonction qui est de nettoyer et de cautériser mes blessures.

Je ne ravale plus mes larmes. Je m'autorise, sans me déprécier, à aller au bout de mon besoin de pleurer.

Planter des choux

– Mais j'ai une corde
Pour me pendre s'il n'y a rien
– Y a mieux mon ami
Prends la bêche en main
Aide-moi à planter mes choux (Félix Leclerc)

Lorsqu'on se sent aussi vivant qu'une momie et qu'on se fait conseiller de bouger, d'agir, on voudrait hurler. On voudrait que les autres comprennent combien on se sent paralysé, incapable de bouger, empêtré dans un cocon collant, étouffant.

La seule porte de sortie n'en reste pas moins la remise en marche, l'action. Faire : précisément ce qui nous semble impossible lorsqu'on est tétanisé par la peur et assommé par la douleur.

S'y essayer quand même. En faisant des petites choses pas compliquées. « Mon action est mon seul bien, mon action est mon héritage, mon action est la matrice qui me fait naître, mon action est ma race, mon action est mon refuge », disait Bouddha.

Dans *Le Pavillon des cancéreux*, Soljenitsyne compare l'espoir de la guérison spontanée à un papillon : « ... chacun tendait le front et la joue pour que le papillon bienfaiteur l'effleurât dans son vol ». J'attrape ma bêche, plante mes choux... et guette les papillons.

Aujourd'hui, je tends le front et la joue pour que la guérison m'effleure. Je bouge pour émerger de mon cocon. Mon action est ma guérison.

« Chagrin d'amour dure toute la vie... »

Si son histoire cachée, refoulée, parvient enfin à sa conscience, son système immunitaire peut lui aussi se régénérer. **(Alice Miller)**

Une perte grave – celle d'un être aimé, d'un emploi, de la jeunesse – peut raviver en soi une perte antérieure dont on n'a pas réussi à faire le deuil. Bien souvent, cette perte fondatrice est celle de l'enfant idéal qu'on aurait voulu être pour plaire à ses parents. De cet enfant idéal mort-né dont on ne finit plus de pleurer l'absence.

C'est souvent dans cette tristesse sans nom, sans fond, jamais dite, que le fœtus de la maladie se développe. Il se nourrit de chagrin, de silence, de désespérance.

Une fois le cancer déclaré, une façon de favoriser sa guérison est de retracer ses pertes, d'apprendre à les nommer, à se les avouer à soi-même et à d'autres.

Qu'ai-je perdu récemment qui m'importait beaucoup ? Quel coup dur – que j'ai préféré enterrer pour ne pas ressentir la douleur – mon corps a-t-il encaissé, dont il ne s'est pas remis ?

Quel chagrin immémorial ces pertes récentes ont-elles réveillé ? Quelle antique peine n'ai-je jamais réussi à exprimer ?

Je rebrousse chemin pour retracer en moi la douleur ancienne. Je la laisse prendre forme autrement que dans la maladie. Je la dis, l'écris, la dessine, la chante ou simplement la pleure.

Petite Aurore, quand te dés-Auroreras-tu?

Petit pot de beurre
Quand te dé-petit-pot-de-beurreras-tu ?
Je me dé-petit-pot-de-beurrerai
Quand tous les petits pots de beurre
Se seront dé-petit-pot-de-beurrés. (Comptine)

Certains événements de notre vie, certains éléments de notre caractère font qu'on se retrouve parfois coincé dans un rôle de victime dont il est extrêmement difficile de sortir. Il nous colle si bien à la peau que lorsqu'on tente de l'en détacher, on se retrouve écorché comme un lapin à l'étal du boucher.

Serait-ce que Aurore un jour, Aurore toujours ? Je l'ai longtemps cru, tout en me traitant de masochiste et de doloriste, haïssant en moi ce qui paraît souvent de la complaisance et qui n'en est pas moins de la souffrance. J'achevais de me ridiculiser en me récitant la ritournelle de mon enfance, adaptée pour la circonstance : *Petite Aurore, quand te dés-Auroreras-tu ?*

J'ai pu me dés-Aurorer quand j'ai pu dire ma souffrance à quelqu'un qui l'a entendue sans la ridiculiser. Une fois sa souffrance reconnue, on n'a plus besoin d'en produire de la nouvelle et de continuer à jouer à l'enfant martyr. On peut alors redevenir un enfant exubérant, capable de rire et de jouer.

Je conjugue la chimiothérapie et la mots-thérapie pour ramener l'ordre dans mes cellules et dans ma tête désorganisées.

Marie Cardinal a trouvé « les mots pour le dire » et guérir. Je déterre les miens des couches de silence où ils fermentaient.

Reprendre le volant

Et je voyais ce paradoxe : plus on est fragile, plus on est costaud. Plus on est condamné, plus on trouve de ressources, même s'il faut descendre au plus profond de soi pour les atteindre. (Philippe Djian)

On échoue souvent dans la maladie si on a perdu le contrôle de sa vie ou si on ne l'a jamais eu. On ne se sent pas le pouvoir de la sortir des ornières où elle s'est enfoncée. On attend en vain un dépanneur miracle de l'extérieur.

Curieusement, c'est souvent au moment où la science déclare forfait qu'on retrouve son propre pouvoir. Ce n'est que lorsqu'on entend chuchoter autour de soi qu'on est « condamné », déclaré incurable, qu'on mobilise toutes ses ressources pour guérir.

Alors que, dans la vie quotidienne, on se retrouvait mou et velléitaire, on se découvre, dans la tourmente, plein de cran et de courage. L'état de crise permet d'aller enfin puiser en soi toute son énergie, celle dite du désespoir mais qui est peut-être celle de l'espoir enfin ressuscité.

Avant la maladie, je rêvais que je tentais de conduire ma voiture, assise sur le siège arrière, d'où il était plutôt difficile d'atteindre le volant et les pédales. Pour guérir, j'ai dû réintégrer le siège du conducteur, reprendre la gouverne de ma carrosserie.

L'énergie gaspillée auparavant à faire tourner mes roues dans le vide, je l'utilise aujourd'hui à me sortir du fossé. À guérir.

Au diable l'exceptionnel

Les patients exceptionnels manifestent leur volonté de vivre avec une efficacité remarquable. Ils prennent leur existence en main même s'ils n'ont jamais su le faire, et ils luttent farouchement pour retrouver santé et sérénité d'esprit. Ils ne comptent pas sur les médecins pour faire le travail à leur place, ils les considèrent plutôt comme des partenaires mieux informés auxquels on peut demander une assistance technique mais aussi une écoute et un investissement personnel. (Dr Bernie Siegel)

Je dois beaucoup aux enseignements de Bernie Siegel dans le fait d'être une survivante. Mon oncologue m'avait recommandé la lecture de son livre *L'Amour, la Médecine et les Miracles* dès notre première rencontre. Un chapitre y est consacré aux moyens de devenir un patient exceptionnel. J'ai d'abord posé ma candidature au titre, mais j'ai vite constaté qu'il y avait là un danger pour moi.

En abordant la guérison comme une preuve à faire que j'étais une patiente exceptionnelle, je ne ferais que changer de quête et de carcan. Toute ma vie, j'avais voulu être exceptionnelle, et le fait d'être si gravement malade n'y était pas étranger.

J'ai donc décidé de **tendre** à faire ce que les patients qualifiés d'exceptionnels par Siegel faisaient, mais sans me faire un **devoir** d'en devenir un. Plus question de courir les concours.

Mon désir de guérison n'a rien à voir avec une démonstration de force, de mérite ou de valeur. Il n'est que la concrétisation d'une urgence personnelle, d'une nécessité intérieure.

Mes cinq points cardinaux

Au jeu des intentions, on peut avoir des objectifs sans bloquer le processus. [...] L'intention ayant été posée, la personne laisse un espace entre elle et cette intention, un espace libre, un espace de liberté.
(Dr Jean-Charles Crombez)

Pour retrouver sa direction, il faut s'établir des points de repère. Ils sont différents pour chacun. Après bien des tâtonnements, j'ai identifié ceux qui pourraient m'aider à guérir. Ce sont mes *5-T,* puisqu'ils se terminent tous en « té ». Sainteté et pureté ne font heureusement pas partie du lot, car j'avais enfin compris le danger de la « maladie d'Idéalité » dont parle Mallarmé.

Mes *5-T* ne seraient plus de ces absolus qui paralysent, mais uniquement des flèches qui pointent une direction.

Humilité : autorise à vivre, donc à guérir, sans être parfait.

Générosité : permet de sortir de son nombril pour aller vers l'autre; de voir moins chiche, plus large.

Sérénité : stoppe les ruminations, les angoisses, ces empêcheuses de guérir en rond.

Créativité : permet d'utiliser son imagination et ses dons à construire plutôt qu'à se détruire.

Productivité : permet de réaliser ses projets, de décoller de la stagnation déprimante pour passer à la production gratifiante.

J'établis ma direction. Je pose des intentions. Plus question de me mener au fouet. J'ai tout mon temps. Je m'amuse avec ma nouvelle rose des vents.

État de crise

La crise réside justement dans le fait que le vieux se meurt et que le nouveau n'arrive pas à naître : cet interrègne est marqué par l'éclosion d'une grande variété de symptômes morbides. (Antonio Gramsci)

La maladie peut être considérée comme le symptôme d'un état de crise grave dans notre vie. Elle éclot durant une période de transition, d'instabilité, d'interrègne où notre vieux moi ne réussit pas à mourir et où le nouveau a du mal à naître.

En chinois, le mot *crise* est illustré par deux idéogrammes, l'un signifiant « danger » et l'autre « opportunité ». La maladie est bien cela : un état de crise présentant à la fois le danger d'y laisser sa peau et l'occasion de la sauver.

Même après que nous ayons posé l'intention de guérir et qu'effectivement la maladie se résorbe, tous les autres symptômes morbides ne disparaissent pas par enchantement. Nos vieux démons du passé continuent de rôder. Notre vieux moi est tenace et souvent vicieux. Il ne nous a pas rendus malades parce qu'il était gentil et prêt à lâcher facilement sa proie. La peur, la paralysie et la panique ne veulent pas céder si aisément leur territoire. Qu'importe, mon nouveau moi, conscient du danger, est prêt à tenir tête au vieux.

J'observe, avec détachement et sérénité, les tentatives de mes vieux démons de reprendre le dessus. L'interrègne achève. Le nouveau est près de naître.

Sortir son rêve des oubliettes

Plus je vieillis, plus je crois que ce qui ne s'évanouit pas, ce sont les rêves. (Jean Cocteau)

Qu'advient-il de nos rêves de jeunesse abandonnés ? Patricia Weenolsen, chercheure à l'Université de Californie, en ayant fait un objet d'étude, a constaté qu'ils risquent de hanter toute notre vie : presque tous les sujets qui n'avaient pas réalisé leur rêve regrettaient de ne pas l'avoir fait même s'ils avaient par ailleurs « réussi » leur carrière et leur mariage.

Une femme de 67 ans qui voulait être journaliste depuis l'âge de 12 ans, mais qui avait choisi une voie jugée moins risquée par ses parents, regrettait encore à cet âge de n'avoir pas suivi ce que Castaneda appelle « la voie du cœur ».

À l'heure des bilans que permet la maladie, on constate souvent qu'on a agi en fonction surtout du désir des autres, déchiré entre notre rêve et ce que l'on croyait attendu de nous. On ne connaît plus son propre désir, on doute même d'en avoir jamais eu.

Fernando Pessoa nous rassure : « Les rêves, du moins, ne pourrissent pas. » Celui que l'on a remisé jadis à cause de son entourage ou de son propre manque de courage est peut-être « toujours vivant ». On peut le recycler au temps présent et le réaliser.

Aujourd'hui, je fouille dans mon vieux coffre à rêves pour en ressortir celui « jamais oublié » et le dépoussiérer.

J'aurais voulu être un bœuf

Elle, qui n'était pas grosse en tout comme un œuf,
Envieuse, s'étend, et s'enfle et se travaille,
Pour égaler l'animal en grosseur (Jean de La Fontaine)

Le mépris et la haine de soi comportent un curieux envers de médaille : la grandiosité. Pour compenser le sentiment d'être de la merde, on se fait croire qu'on est de l'or en barre. On oscille entre le génie et le bon à rien. On se croit les deux et ni l'un ni l'autre tout à la fois.

Pour être digne des espoirs que nos parents ont mis dans le petit être génial qui leur est né, on passe sa vie à courir après des mirages, à se comporter en grenouille qui voudrait être un bœuf et à se gonfler jusqu'à éclater : de découragement, d'épuisement, de cynisme. Crever ce ballon est douloureux mais donne l'occasion de se transformer en *drop-out* de la grandiosité.

Sur les décombres de ses rêves de grandeur, on peut reconstruire en plus petit, en plus solide, se réinventer une vie de grenouille satisfaite. Quel soulagement de pouvoir enfin s'accepter ordinaire, de se tailler des défis à sa dimension !

La maladie me permet d'envoyer paître le bœuf que j'aurais souhaité devenir et de croasser gaiement dans un étang à ma mesure.

Je fais le deuil de ce que je croyais devoir être pour donner sa chance à ce que je suis, tout simplement.

J'aurais voulu être un artiste...

La guérison est un acte créateur qui nécessite autant de travail, autant de patience et de détermination que n'importe quelle autre forme de création. (Dr Bernie Siegel)

Nous voulons tous être des artistes *pour pouvoir faire notre numéro et montrer qu'on existe...* C'est souvent faute de l'avoir fait qu'on entre en maladie, comme d'autres entraient jadis en religion pour y cacher leur peine d'amour.

Paradoxalement, la maladie nous ramène sur le chemin de la créativité en nous proposant le défi de la guérison. Celle-ci n'est possible que si on a une raison de vivre, un projet, une passion, que si on retrouve un sens à son destin, qu'on entend un appel qui nous attire hors de la tombe. On guérit en retrouvant le feu, la folie, la fantaisie, la curiosité de l'enfance, en retrouvant le sens de la création et de la récréation.

On trébuche souvent dans la maladie alors qu'on pensait : « Ma vie ne me ressemble pas du tout, elle ne reflète pas ce que je suis. » Guérir peut être notre première réalisation d'artiste. Le travail, la patience et la détermination qu'elle nous aura permis de pratiquer pourront par la suite s'appliquer à toute autre forme de création.

En sortant de la maladie, je me remodèle une vie, je la sculpte cette fois à mon image et à ma ressemblance.

J'écoute en moi la voix de l'artiste qui n'a jamais pu s'exprimer. La restauration de ma vie sera ma première œuvre d'art.

Rendez-vous avec l'artiste

Un rendez-vous hebdomadaire avec l'artiste est terriblement effrayant... et remarquablement productif.
Un rendez-vous ? Avec *mon* artiste. (Julia Cameron)

Après avoir été longtemps négligé et muselé, l'artiste en soi ressemble à un enfant autiste qui a besoin d'être apprivoisé, stimulé. Julia Cameron, dans son très beau livre *Libérez votre créativité. Osez dire oui à la vie !* suggère de le sortir une fois par semaine pour réalimenter sa source tarie, de l'amener voir de belles choses, que ce soit un paysage, une toile, un concert.

Ce rendez-vous ne paraît au premier abord qu'une partie de plaisir en perspective, mais on constate, au moment de s'y rendre, qu'on recule. On pressent trop bien le potentiel de changement d'une telle activité. Que pourrait-elle déclencher en soi que l'on a repoussé toute sa vie ? En dépassant cet effroi, en restant fidèle à son rendez-vous hebdomadaire, on en constate très vite l'efficacité.

Bientôt, on sent une étincelle jaillir, un filon sourdre de très loin, revenir le goût de dessiner, d'écrire, de peindre, de jouer, de décorer, de bricoler, de cuisiner... Il faut suivre ce mouvement, s'y adonner corps et âme. Chaque geste créateur favorise la cicatrisation. L'artiste en soi secoue ses cendres, prépare son envol, renaît.

Je conclus un pacte avec mon artiste ankylosé : une fois par semaine, je prendrai avec lui un bain de beauté.

Second début, première chance

La patiente dont j'ai parlé en est venue, vers la fin d'une longue analyse, à *commencer sa vie.* Elle n'a pas d'expérience vraie, pas de passé. Elle commence avec cinquante années de vie gaspillée, mais elle se sent enfin réelle et, par conséquent, elle désire maintenant vivre.
(Donald W. Winnicott)

Comment est-il possible de vivre 50 ans sans avoir jamais eu le sentiment de vivre ? En vivant pour plaire aux autres, en ignorant totalement ce qu'on serait et ferait s'il n'en tenait qu'à nous. Notre vie n'ayant été qu'un spectacle dont nous avons été la marionnette qu'une main étrangère faisait pirouetter et qu'une voix de ventriloque faisait parler sans que nous sachions d'où venaient les mots qui nous sortaient de la bouche.

La maladie surgit souvent lorsqu'on se retrouve dans un cul-de-sac, persuadé d'avoir épuisé sa dernière chance. Alors qu'au contraire ce peut être l'occasion de sa véritable première chance. La chance de recommencer sur des bases nouvelles. D'arrêter de faire semblant, de faire accroire, de faire comme si, de sauver la face. La chance de départager le faux du vrai, de découvrir ce qu'on est vraiment au cœur de soi et de vivre en accord avec ce qu'on aura découvert.

Je range la marionnette. Je tombe le masque. Je cherche ma voix réelle. Je me donne ma première chance de me sentir vraiment vivre.

La mort en face

C'est parfois la peur de la mort qui pousse les hommes à la mort. (Épicure)

Selon La Rochefoucauld, la mort, comme le soleil, ne peut être regardée en face, alors que pour Cocteau :

> Lunettes noires ou mélancolie
> éteignent les couleurs du monde ;
> mais au travers, le soleil et la mort
> se peuvent regarder fixement.

Après la mort brutale de ma sœur, j'ai été submergée par la peur de la mort et me suis réfugiée dans la mélancolie durant 10 ans. Ma terreur de la mort m'a poussée à ses portes. En face-à-face avec elle, j'ai dû la regarder « les yeux ouverts » selon l'expression de Marguerite Yourcenar. Le remède fut dans le mal. J'ai enfin réussi à m'arracher des griffes de la mélancolie, et à guérir simultanément ma peur de mourir et ma peur de vivre.

J'ai longtemps hésité à aborder le chapitre sur la mort du livre des Simonton *Guérir envers et contre tout*. Quand j'ai trouvé le courage de le faire, il m'a aidée à comprendre que, à partir du moment où j'accepterais ma finitude, je serais moins tétanisée jusqu'au moment réel de ma mort. Après tout, je ne mourrais qu'une seule fois alors que, en entretenant cette peur constante, je mourais des milliers de fois.

Je garde la mort dans ma mire constamment. Je la regarde fixement. Elle est la compagne qui ravive « les couleurs du monde ».

Guérir autrement

Il n'est pas de détresse pour celui qui a terminé son voyage, qui a abandonné tout souci, qui s'est libéré de toutes parts, qui a rejeté tous ses biens. (Bouddha)

Guérir n'est pas la victoire et mourir, la défaite. Guérir n'est pas une obligation et mourir, une humiliation. Surtout, guérir n'est pas uniquement continuer à vivre.

Guérir, c'est avant tout retrouver la paix, se réconcilier avec son destin. Cela peut vouloir dire aussi mourir. Il se peut qu'on sache, au tréfonds de soi, que sa vie est terminée, qu'on a complété le tour de son jardin. Pourquoi prétendre alors qu'on veut continuer à vivre si ce n'est pour éviter d'effrayer ou de peiner son entourage ? Certains n'osent pas dire la vérité qu'ils sentent en eux tellement ils s'en sentent coupables et ils doivent se diriger vers la mort dans le silence, la solitude et la honte.

Pour ceux qui savent avec certitude que leur heure est venue, mourir en paix avec soi, les autres et la mort est une autre façon de guérir. En revanche, pour ceux qui savent avec la même certitude qu'ils n'ont pas achevé ce qu'ils ont à faire, la guérison signifie recouvrer la santé pour ne pas quitter la route prématurément.

Ai-je accompli mon parcours, ai-je achevé ce que j'avais à faire ?

Je suis à une croisée de chemins. C'est l'occasion d'étudier ma carte et de revoir mon itinéraire. Mon voyage est-il vraiment terminé ?

Wow, les battants!

Les parents doivent non seulement guider leurs enfants par des défenses et des permissions; ils doivent aussi être capables de faire passer chez l'enfant une conviction profonde, presque somatique, que ce qu'ils font a une signification. (Erik H. Erikson)

Tous n'ont pas eu la chance de recevoir au départ de leur vie ce cadeau incomparable qu'est la confiance. Souvent, nos parents n'ont pas pu nous l'insuffler, ne la possédant pas eux-mêmes.

La confiance permet de se fier à soi, aux autres. Elle permet de croire avec assurance en ses possibilités et procure un sentiment de sécurité. Sans elle, on ne voit aucun sens à ce qu'on fait et on fait de moins en moins. On devient des perdants.

Les battants sont souvent sciants avec leurs « Quand on veut, on peut », leurs « Aide-toi et le ciel t'aidera » et leurs « Faites comme moi et vous vaincrez », qui ne font que nous tasser encore davantage au fond du baril plutôt que de nous aider à en sortir.

S'il suffit, comme ils le prétendent, d'avoir la volonté, la force et le cran nécessaires, nous serions donc velléitaires, déficitaires. Il ne faut pas s'en laisser convaincre. Notre problème n'en est pas un de déficit de volonté, mais de déficit de sens et de confiance. C'est une éducation à corriger et à poursuivre.

C'est à moi de me rééduquer, de me convaincre de façon fondamentale, somatique, que ce que je suis et ce que je fais ne sont pas insignifiants.

À la mode de Maude

Maude : – Oui. Je comprends. Bien des gens aiment à jouer avec l'idée de la mort, sans pour cela désirer mourir. Il y a chez eux comme un refus de vivre. Ils voudraient participer à ce jeu qu'est la vie, mais ils se contentent de regarder vivre les autres et se réservent pour plus tard.
(Colin Higgins, *Harold et Maude*)

J'avais six cousins et cousines de mon âge. À huit ans, nous jouions à sauter dans le foin dans la grange de notre grand-père. Nous devions maintenir une chaîne continue : à la queue leu leu, grimper l'échelle, courir sur la poutre et sauter quelque trois mètres plus bas dans le foin.

Alors que les cousins et cousines faisaient le cirque et sautaient des dizaines de fois, je restais figée en retrait, sur un bout de la poutre, à ne pas sauter de peur qu'il y ait une fourche cachée sous la paille. On m'avait raconté qu'une tante jadis s'était blessée ainsi.

J'aurais bien aimé participer à leur jeu, mais je me contentais de regarder les autres sauter, jonglant, moi, avec l'idée de la mort. J'ai continué par la suite, comme Harold, à flirter avec la mort. Ce n'est que lorsqu'elle m'a prise à mon propre jeu et s'est offerte à moi que j'ai compris que ce n'était pas tant mourir que je voulais, mais vivre autrement, à la mode farfelue et désinvolte de Maude.

Cette vieille sage a tiré Harold de son obsession de la mort et lui a redonné goût à la vie. Le cancer a été ma Maude à moi.

J'ai fini de me réserver pour plus tard, de regarder les autres s'amuser. J'entre dans la danse tout de suite. Aujourd'hui.

L'assassin intérieur

Une dernière fois : le cancer n'est pas étranger à celui qui le porte. Il est bien et toujours une partie de l'individu. (Pr Jean-Paul Escande)

Au début, on a tendance à percevoir le cancer comme la présence en soi d'un corps étranger, d'un envahisseur qu'il faut chasser. Toute sa vie, craignant un ennemi extérieur, on s'est barricadé dans sa forteresse intérieure sans se douter que c'était dans ce cachot intime qu'était tapi l'assassin.

Ce bourreau nous tyrannise. Il nous harcèle, nous rabaisse, nous ridiculise jusqu'à l'épuisement, jusqu'à ce qu'on souhaite mourir pour en être libéré.

Comment se défaire de ce saboteur interne ? Comment faire taire la critique cruelle qui ne nous laisse jamais de repos ? Dès qu'elle surgit, je l'imagine sous la forme d'une harpie monstrueuse avec son corps de vautour, son visage ridé, son bec et ses ongles crochus, son odeur infecte. Je l'observe, avec détachement, tournoyer au-dessus de moi. Je me dis alors qu'elle est une partie de moi dont je n'ai plus besoin pour survivre. Et elle s'envole.

J'ouvre grandes les portes de mon cachot. J'aère, je m'oxygène, je respire à fond. La harpie s'éloigne. La tumeur se résorbe.

Agent double

Vraiment, je ne comprends pas ce que je fais; je ne fais pas ce que je veux, mais ce que je hais, je le fais. (Paul, Épître aux Romains, VII, 15)

Les écritures, aussi bien religieuses, littéraires que médicales, recèlent toutes ce concept de l'être dédoublé. En Paul comme en chacun de nous, deux êtres se partagent le territoire.

Le pédiatre et psychanalyste anglais Donald W. Winnicott affirme que, en tout individu, on retrouve ce qu'il appelle le vrai et le faux *self*. Il explique « la nature défensive du faux *self*. Sa fonction de défense est de dissimuler et de protéger le vrai *self*, quel qu'il puisse être ».

Chez certains, l'obligation de dissimuler le vrai *self* est telle que le faux « est établi comme réel et c'est lui que les observateurs ont tendance à prendre pour la personne réelle ». Leur vrai *self*, demeure quant à lui emmuré, *incommunicado.*

Obligé de vivre derrière le masque du faux *self*, on fait la taupe, on joue à l'agent double. On a deux vies, deux identités. Une pour les autres, une pour soi. Une pour le dedans, l'autre pour le dehors. Une pour vivre, l'autre pour survivre. On ne montre que ce qui a reçu l'*imprimatur* de sa famille, de sa religion, de son entourage.

Le vrai soi ronge son frein, se ronge les sangs et finalement se laisse ronger. Le temps est venu de le libérer, de l'affranchir, de le laisser vivre à l'air libre.

Une autre chose à sortir du placard : mon* self *authentique.

C'est pas grave!

Mais c'est une tâche difficile d'apprendre à reconnaître la nature et l'origine de ces tendances justicières et punitives que nous sommes souvent surpris de voir exister là où nous ne nous attendions pas à les trouver. (Sigmund Freud)

Avant d'être confronté à une maladie grave, on avait souvent du mal à relativiser les choses. On avait appris à considérer comme une tragédie toute lacune, toute faille, toute imperfection chez soi. On aurait souhaité s'entendre dire qu'il n'était pas grave de faire une gaffe ou une erreur, mais au contraire ça l'était.

Paradoxalement, la maladie grave nous ramène à la raison. Alors que nous considérions que tout était uniformément grave, elle nous oblige à exercer dorénavant notre discernement. Elle nous apprend à nuancer – est-il vraiment si grave de bafouiller, de cafouiller, d'errer, d'ignorer? – et à nous absoudre de nos manifestations d'humanité imparfaite.

Abandonner ses « tendances justicières et punitives » n'est toutefois pas facile, car la tolérance et la compassion ne pèsent souvent pas lourd dans nos bagages, alors que le blâme et l'humiliation menacent constamment de reprendre le pouvoir. Tenter d'en comprendre « la nature et l'origine » aide à se rééduquer et à cesser de se fustiger pour la moindre peccadille.

Je regarde avec compassion mes maladresses, mes handicaps, mes lacunes. Je me rassure et me susurre : « Allez, c'est pas grave. »

Si je meurs, qu'ils meurent aussi...

Les phraseurs ont assez souvent parlé des ténèbres de l'envie et, par opposition, on a voulu faire croire aux imbéciles que la pitié avait, au contraire, quelque chose de radieux. (Léon Bloy)

Lorsqu'on se retrouve confronté à une mort annoncée, la vue des bien portants devient parfois insupportable. Se sentant glisser vers la tombe, on n'a qu'une envie : saisir ces trop vivants par les chevilles et les y entraîner avec nous. Pourquoi continueraient-ils à vivre alors que nous, nous mourons ? Nous les envions de toutes les forces qui nous restent. Loin de se culpabiliser de cette envie, il faut plutôt s'en inspirer : elle peut nous montrer la voie pour reconquérir notre dynamisme.

Qu'ont ces vivants que nous n'avons pas ? Le culot de faire envie, justement. Toute sa vie, on a eu beau entendre à satiété qu'il vaut mieux faire envie que pitié, on sentait que le contraire serait mieux toléré et on s'y est appliqué, jusqu'à susciter la pitié extrême par le cancer.

La pitié n'a rien de radieux. Dorénavant, je me risque donc à jouer gagnant comme les vivants que j'envie. Je vais imiter leur courage et oser, comme eux, m'exposer au blâme, à la critique, à l'envie. Une fois hors de la tombe, je n'aurai plus le goût d'y précipiter ceux qui bougent et vivent autour de moi.

Je n'ai pas à envier les vivants. Je le deviens moi aussi.

Rêves-tocsins

Il y a des rêves dont le but n'est pas de vous faire rêver, mais de vous réveiller. (René Magritte)

Quand la tourmente sévit en nous, on ne voit plus clair du tout. Heureusement, notre inconscient nous envoie des messages, comme des fusées éclairantes qu'il ne faut surtout pas négliger.

Freud rappelle que « Aristote considérait déjà comme possible que le rêve nous signalât des maladies commençantes, que nous ne pouvions remarquer éveillés... » et reconnaît pour sa part « que, pendant le sommeil, notre esprit, détourné du monde extérieur, prête une attention plus grande à notre vie organique... »

Trois rêves en rafale, faits trois nuits de suite, m'ont avertie de ma maladie, sans qu'aucun symptôme physique ne se soit manifesté. Alarmée par le troisième, qui m'exhortait à monter d'urgence dans un ascenseur d'hôpital, je me suis rendue à la clinique médicale à la première heure. Les radiographies ont confirmé mes rêves, en les précisant : cancer du poumon avec métastases.

N'eût été cette série de songes qui ont sonné l'alarme, il aurait été, sinon trop tard – il ne l'est jamais – du moins plus difficile d'enrayer le cours de la maladie lorsque les symptômes se seraient manifestés. Mes poumons ont émis des signaux de détresse que mon cerveau a convertis en images dans mes rêves. Ces rêves m'ont réveillée et m'ont sauvé la vie.

Dorénavant, je serai à l'écoute de mes rêves. Ils sont la voix qui parle vrai en moi.

Rêve et réalité

Les rêves, on le sait, ne se laissent pas manipuler. Ils parlent en nous pour ainsi dire le langage de la Nature. (Marie-Louise von Franz)

Trois rêves m'avaient avertie de la maladie en moi. Deux m'ont annoncé ma guérison. Le premier m'a informée, après deux traitements, que les métastases avaient disparu. Je voyais mes ganglions sous la forme de cœurs-saignants – ces petites fleurs roses que je cueillais, enfant – alignés en chapelet. Mon chat les avait toutes léchées et nettoyées de sa langue rêche. Les ganglions se balançaient au vent, propres et sains. Les radiographies l'ont confirmé.

Le deuxième m'a annoncé ma guérison totale, après le cinquième traitement. Je retrouvais, dans le bas-côté de la maison, un bébé que j'y avais abandonné pour aller lui chercher une couche. Il était nu-fesses et avait évacué un énorme noyau de pêche auquel n'adhérait aucun résidu. Le noyau était chaud, sec et propre même s'il était sorti par l'anus. Je l'ai entrouvert comme une noix de Grenoble ou un petit cercueil : il était rempli de merde visqueuse. Tout le cancer était sorti. Le scanner l'a confirmé.

Freud met en garde : « L'essence du rêve n'est pas modifiée quand un matériel somatique s'ajoute aux sources psychiques ; il reste accomplissement de désir, quel que soit le mode d'expression que le matériel actuel donne à ce désir. » Il arrive pourtant que désir et réalité coïncident. Ce fut mon cas.

Mes rêves parlent en moi « le langage de la Nature ». Je les crois.

Les champignons

C'est la peur qui fait qu'un champignon devient champignon. La peur et le froid... Le champignon qu'on ramasse à l'automne n'est pas autre chose que cette précipitation : de la peur solidifiée. (Pierre Foglia, *La Presse*)

La peur et le froid font aussi pousser ce champignon nucléaire qu'est le cancer. Le premier rêve qui m'a avertie d'un danger dans ma poitrine l'a représenté sous la forme de champignons.

Je me rendais au cabinet d'un médecin pour lui montrer les champignons qui avaient poussé dans deux poches de ma poitrine. Je les lui tendais agglutinés en grappes sur des petites branches semblables à des coraux dans la mer. Elles s'émiettaient sous mes doigts tellement elles étaient friables. Plus tard, j'ai constaté la parfaite ressemblance entre ces branches de corail et mes bronches.

Le cancer, comme le champignon qu'on ramasse à l'automne, n'est pas autre chose que de la peur solidifiée, un précipité de la peur de ne pas avoir le droit de vivre, de la peur de déranger, d'être de trop, de devoir disparaître. C'est dans un corps transi de peur, recroquevillé de froid et d'humidité, que germe le champignon atomique du cancer.

Je refuse dorénavant la vie parasitaire. Je ne serai plus ni parasite ni parasitée. Il est temps de me défaire de mes adhérences. Je vais apprendre à vivre seule dans ma peau.

Je garde le bon, je ratatine les champignons.

Une nuit dans la tombe

Un bon trou creusé dans la terre,
C'est là qu'on est bien pour dormir. (Shakespeare)

Cinq mois avant de savoir que j'avais un cancer, j'ai fait un rêve qui a fait frémir ma sœur lorsque je le lui ai raconté et qui, curieusement, me faisait sourire, moi. J'ai rêvé que, sans le savoir, j'avais dormi toute une nuit sous une tente dressée au-dessus d'une tombe creusée pour recevoir un cercueil. Je serrais dans mes bras, pour le réchauffer, un tout petit bébé chauve abandonné. Au matin, en sortant de la tente, le bébé dans les bras, j'ai fait face à une foule agenouillée qui attendait que commencent mes funérailles. Le bébé s'est alors mis à me donner des indications pour que je le ramène vers le Nord, là où il avait été abandonné. Je me suis éclipsée sur la pointe des pieds en rigolant, amusée de voir la foule scandalisée parce que je fuyais mes funérailles.

Six mois plus tard, lorsque je me suis retrouvée sans un cheveu et donnée pour morte par plusieurs, je me suis souvenue de ce bébé chauve, bavard et débrouillard bien qu'abandonné, qui m'avait dit où le ramener. J'ai décidé de lui obéir, de retrouver ce Nord que j'avais perdu, d'échapper à mes funérailles, de vivre une délicieuse vie d'outre-tombe.

J'ai passé une nuit dans la tombe, totalement déboussolée. Je retrouve ma boussole et retrace mon Nord à moi : ce qui m'attire, m'aimante, me fera sortir de la tombe.

L'antipatient

Aucun médecin honnête ne saurait le nier : la vocation médicale, c'est aussi une envie fantastique d'exercer un pouvoir sur le corps de l'autre. (Dr Claude Olivenstein)

Aucun patient honnête ne saurait nier non plus qu'au moment de la maladie il est saisi d'une envie quasi irrépressible d'être pris en charge. Ne sachant plus trop quoi faire de son corps, il est prêt à le livrer à la médecine, ce parent tout-puissant qui le guérira de tous ses maux.

« Patient » désigne celui qui subit par opposition à celui qui agit. Se cantonner dans le rôle de patient, faire preuve de soumission et d'attentisme, ne favorise pas la guérison. Ce qui la favorise en revanche, c'est de se comporter en patient actif, en *antipatient*, comme on disait jadis « antipsychiatrie ».

Le traitement est une entreprise conjointe. Nous faisons équipe avec les soignants. Ils sont nos partenaires, et nous demeurons les coordonnateurs de l'aventure. Certains médecins considèrent que l'antipatient, qui questionne et discute, ne collabore pas à son traitement et leur fait perdre du temps. D'autres, heureusement, savent que c'est y collaborer vraiment. Ils sont prêts à informer, discuter, négocier, et ne perçoivent pas les questions comme une intrusion dans leur territoire sacré.

C'est moi qui suis en dernier ressort responsable de mon corps et de ma guérison. Je suis le chef d'orchestre de mon traitement.

Son propre cinéma

La visualisation créatrice consciente est le processus par lequel nous remplaçons nos images mentales négatives et nos pensées étriquées, littéralement « maladives », par d'autres de nature positive.
(Shakti Gawain)

Avant que l'imagerie mentale ou la visualisation ne soient à la mode, nous les utilisions sans nous en rendre compte, comme monsieur Jourdain faisait de la prose sans le savoir.

Nos rêveries, nos fantaisies, nos visions, nos prières sont toutes des façons de visualiser. Lorsque nous nourrissons un rêve, que nous nous reconnaissons un désir, que nous nous fixons un but, que nous prions pour obtenir une faveur, nous visualisons.

Jésus disait : « Tout ce que vous demandez, croyez que déjà vous l'avez reçu, et vous l'obtiendrez. » Et Shakti Gawain, dans *Les Techniques de visualisation créatrice,* dit à son tour : « Pensez-y, au présent, comme si *déjà* cela existait comme vous le voulez. »

À 20 siècles d'intervalle, le secret est resté le même. Il s'agit de croire fermement en ce que nous désirons, de façon que toute la substance de notre corps, tous nos comportements concourent à le réaliser.

Je ne m'attarde pas à la connotation péjorative de la « pensée magique », j'en retiens plutôt le sens noble. Je me livre à la magie de mon cinéma intérieur, c'est un puissant outil de guérison.

Je me projette des images de bien-être, de beauté, de réconfort pour inciter mon organisme à se rétablir dans l'harmonie.

Yellow Submarine

L'âme ne pense jamais sans image. (Aristote)

Un corps en train de guérir est un immense chantier de rénovation dont il faut surveiller les travaux sans relâche. C'est ce que j'ai fait trois fois par jour durant six mois à bord de mon petit sous-marin jaune. Aux commandes du véhicule, alerte mais détendue, je plongeais à l'intérieur de moi, en fredonnant avec entrain : « *We all live in a yellow submarine...* »

De la tête aux pieds, du cerveau au bout des os : je scrutais chaque organe minutieusement. Je naviguais dans mes veines pour contrôler le taux des globules. Faisais mes recommandations pour que tout redevienne sain. Voyais les cellules malignes sécher, s'émietter, tomber. Et les mettais à la poubelle.

J'évitais les mouvements de crispation, de forçage, de tordage de poignet, de vouloir à tout prix, qui m'avaient rendue malade. J'aérais, ouvrais les fenêtres, pour que tout recommence à respirer, pour que tout ce qui était bloqué recommence à circuler.

Si je m'endormais durant les séances, rompue d'une fatigue du fond des âges, je ne m'en tenais pas rigueur. D'une part, le travail de guérison est exigeant et mon corps avait besoin de repos ; d'autre part, il cicatrisait à merveille durant le sommeil.

Je visualise la cicatrisation de mes lésions, la disparition des excroissances. Je ramène l'ordre. Fini le chaos. Fini les folies.

Le choix d'organe

Chaque organe, structure, fonction ou mécanisme n'est que la manifestation apparente, à un certain plan, de l'un des archétypes vitaux fondamentaux. Le couper de son archétype, c'est s'interdire de le comprendre. (Dr Jean-Marc Kespi)

On a la maladie qui nous convient, celle que l'on peut supporter, qui parle notre langage. De tous les cancers qui existent, je n'aurais échangé le mien contre aucun autre, indépendamment des statistiques. Un cancer du cerveau, du sein, du côlon, des os, me paraissait pire que le mien, intolérable. On a un rapport secret, intense, avec l'organe atteint et la maladie nous permet de l'interroger, car « comment soigner si on ne sait pas de quel archétype l'organe malade est l'émergence », dit encore Jean-Marc Kespi.

Le poumon est caché, enfoui. Une tumeur y demeure longtemps sans symptôme. C'est un cancer propre et bien élevé, qui cache son jeu comme j'avais coutume de le faire.

Depuis longtemps, j'aurais voulu hurler à pleins poumons : « Donnez-moi de l'oxygène ! », sans oser le faire. Le cancer s'en est chargé. Maintenant, c'est à moi de le faire, et d'élaborer.

Je me méfie toutefois des trop rapides jeux de mots/maux pour le dire, des trop faciles adéquations. Je laboure plutôt en profondeur et fais d'étonnantes et précieuses découvertes sur le sens de mes maux.

Aujourd'hui, j'interviewe l'organe qui a pris la parole à ma place. J'écoute attentivement ce qu'il me dévoile que je n'osais pas m'avouer.

La carène

Et le naufrage horrible inclina sa carène
Aux profondeurs du Gouffre, immuable cercueil (Émile Nelligan)

Ce qui m'a le plus épouvantée de l'aventure-cancer, c'est que les cellules cancéreuses se soient répandues « en avant de la carène et en arrière de la veine cave supérieure ». L'atteinte au poumon, je pouvais la supporter, mais celle de la région du cœur, non. Mon cœur, c'est mon centre, mon moteur. Je l'avais dit râpé, grugé, rongé, mais en n'y voyant qu'une façon de parler, en croyant qu'il y avait une barrière étanche entre le cœur-chagrin et le cœur-muscle. Pas de remparts sur les clichés !

J'imaginais du cancer tricoté autour de mon cœur, comme une toile d'araignée vénéneuse me rappelant *L'Araigne*. La lecture de ce livre m'avait effrayée à l'adolescence, alors que je me sentais, moi aussi, engluée dans une toile collante et tenace dont je ne réussirais jamais à m'extirper.

Dans ma visualisation, j'ai ciblé la carène en priorité, bien décidée à éviter « le naufrage », « le gouffre », « le cercueil ». Mon vaisseau tanguait fort, mais j'allais le sauver, en commençant par nettoyer cette région de la carène et de la veine cave. Bientôt, les examens ont confirmé « la régression des adénopathies des régions précarinale et rétrocave ». *Vade retro*, arrière Satan ! Victoire !

Ceci n'est pas de la sorcellerie. Ce n'est que l'effet mystérieux et puissant de mon guérisseur interne. Il faut y croire pour le voir.

Le ver en soi

En effet, ce qu'il montre, c'est une plante fabuleuse dont les feuilles forment un oiseau aux ailes repliées, et au corps lentement mangé par un insecte vorace. (Jacques Meuris)

C'est ainsi que Jacque Meuris décrit une toile que René Magritte a peinte en 1948 et intitulée *La Saveur des larmes*. Ce tableau (et son titre !) est une réplique si exacte de la représentation que je me faisais du cancer dans ma poitrine qu'il garde la place d'honneur dans ma banque d'images. À côté de lui, les clichés de l'hôpital font figure de sépias floues et fanées.

Contempler cette illustration, c'était plonger en moi et y reconnaître l'état des lieux, l'étendue des dégâts. Et dans ma BD personnelle, ces mots de Mélanie Klein, dans une bulle, expliquaient : « Pendant son analyse, il formula le fantasme suivant : un ver solitaire se frayait un chemin dans son corps en le mangeant; une peur intense d'avoir le cancer se fit jour alors. »

Ce *ver en soi* peint par Magritte l'artiste et dépeint par un patient de Klein la psychanalyste explicitait le mien, m'aidait à le nommer, à le cerner. Et, progressivement, à déloger l'animal vorace en moi. À repriser les feuilles trouées.

J'utilise l'immense pouvoir de mes « images conteuses » pour mobiliser toutes les forces de restauration en moi.

Les métaphores

Or la maladie n'est pas une métaphore, et l'attitude la plus honnête que l'on puisse avoir à son égard – la façon la plus saine aussi d'être malade – consiste à l'épurer de la métaphore, à résister à la contamination qui l'accompagne. (Susan Sontag)

Ayant elle-même guéri d'un cancer, Susan Sontag a écrit *La Maladie comme métaphore*. Elle y villipende l'utilisation de la métaphore en rapport avec les maladies mortelles en particulier. La métaphore m'a pourtant été d'une aide précieuse pour écouter, décoder, comprendre l'émergence et le sens de la maladie en moi. Et pour en guérir. Si Sontag les abhorre, moi je les adore.

La façon « la plus honnête et la plus saine » d'être malade est probablement différente pour chacun. Si la métaphore nous stigmatise, il faut la bannir. Si, par contre, elle nous donne du pouvoir, il faut l'adopter sans réserve. Dans *Une ardente patience*, le roman d'Antonio Skarmeta dont a été tiré le beau film *Le Facteur*, ce dernier est initié à la métaphore grâce au poète Pablo Neruda. Émerveillé et incrédule, il lui demande : « ... est-ce que vous pensez que le monde entier est la métaphore de quelque chose ? »

Je le crois. Si le cancer est la métaphore d'un ver en soi ou d'un bouche-trou, d'un volcan qui gronde ou d'un renard qui ronge, si la métaphore nous aide à chasser l'intrus, pourquoi ne pas l'utiliser ? Pourquoi bouder le pouvoir de ses propres images ?

Les métaphores que je nourrissais autrefois ont contribué à développer le cancer en moi. À partir d'aujourd'hui, j'utilise les mêmes, ou de nouvelles, pour résorber la tumeur.

Une chimio maboule

Désormais, s'agissant de remèdes, la façon de donner vaut parfois mieux que ce qu'on donne. (Georges Canguilhem)

Les as du marketing le savent depuis longtemps : le contenant importe souvent plus que le contenu. Bien conçu, il réussit même à nous faire avaler des couleuvres, à nous faire prendre des vessies pour des lanternes. C'est le contenant qui vend ! Il semble toutefois que la chimiothérapie ne bénéficie pas de leurs services.

Je suis demeurée abasourdie, le matin de mon premier traitement, lorsque l'infirmière s'est amenée trimbalant mon cocktail de médicaments dans une boîte à lunch qui portait les armoiries du Pirate Maboule : deux os peints en blanc sur fond noir. Il ne manquait que la tête de squelette.

À deux secondes de se faire injecter ces poisons, on n'a pas le courage, pas la présence d'esprit de protester contre la morbidité d'un tel contenant, ni contre l'inconscience d'un tel système. Mais cela permet de prendre progressivement conscience de son statut de consommateur, et d'en devenir un plus averti, là comme ailleurs. Un contenant qui parle de poison et de danger n'incite pas à la détente et à l'espoir. Sans exiger le contenant des Joyeux Festins de *McDo,* il ne faut pas tolérer cette boîte à lunch maboule non plus. Car désormais, la façon de donner vaut autant que ce qu'on donne...

J'apprends à sortir de ma passivité de « bénéficiaire », de patient, de malade. En reprenant mon pouvoir, je retrouve ma santé.

Gaz moutarde

Je me rendais compte que le fait de vivre dans la seconde moitié du XXe siècle ne nous préservait pas automatiquement de médicaments et de traitements imprudents, voire dangereux. Chaque époque a dû subir les panacées qui lui étaient propres. (Norman Cousins)

Certains médicaments de la chimiothérapie ont été développés à partir des gaz de combat, après qu'on eut constaté qu'ils détruisaient certaines cellules de l'organisme humain. Cette thérapie lourde ne détruit pas seulement les cellules cancéreuses en nous, mais aussi d'autres qui sont saines.

L'état d'esprit dans lequel on reçoit les traitements peut en modifier grandement l'efficacité et les effets secondaires. Les traitements reçus sans ambivalence ni hésitation provoquent des effets secondaires moins pénibles et moins violents que ceux subis dans le doute et à reculons.

J'ai utilisé la visualisation pour maximiser les effets bénéfiques et minimiser les effets toxiques du traitement. Pour éviter les séquelles neurologiques dont j'étais prévenue et dont je ne voulais pas, je visualisais durant les traitements que seules les cellules cancéreuses étaient détruites et que les bonnes restaient bonnes. Elles le sont demeurées. Cela ne relève pas de la magie, mais de la logique implacable et têtue de notre corps qui collabore à ce qu'il sait bon pour lui et se protège contre ce qui l'agresse inutilement.

Je visualise l'expulsion des cellules malignes et la préservation des cellules saines en moi.

La chute du Mur

Où étiez-vous le 9 novembre 1989 ? Demandez-le aux ex-Berlinois de l'Est. Eux n'auront pas de mal à s'en souvenir. Ils vous diront qu'ils traversaient dans l'allégresse le Mur de la honte pour enfin visiter Berlin-Ouest après 28 ans d'exil intérieur. (Luc Perreault, *La Presse*)

Comme les ex-Berlinois de l'Est, je n'ai aucun mal à me rappeler où j'étais ce 9 novembre 1989. Je recevais mon premier traitement de chimiothérapie. Pas dans l'allégresse berlinoise toutefois, même pas dans la détente parce que le protocole de recherche stipulait qu'un anxiolytique ne serait administré que les deuxième et troisième jours. Pour observer le premier choc à froid ?

L'impact a été terrible : un véritable coup de massue, mais aux effets salutaires. De même que le mur de Berlin a cédé sous les pics et les marteaux cette nuit-là, le mien a cédé sous ce coup de bélier.

Depuis de nombreuses années, je vivais en exil intérieur, retranchée derrière mon mur de honte. La secousse de cette nuit du 9 novembre a fait sauter cloisons et barricades, rétabli la libre circulation à la grandeur de mon territoire. Ce fut le commencement de la fin du totalitarisme de la honte. À partir de cette nuit, il y eut changement de régime, et s'est amorcée en moi la réunification des deux Allemagne. J'ai cessé de me cogner la tête contre le mur de ma honte.

Aujourd'hui, j'entame une petite brèche dans le mur qui me sépare en deux. Je me réapproprie tout mon territoire.

Maladie de peau

Aujourd'hui, le grand absent, le méconnu, le dénié dans l'enseignement, dans la vie quotidienne, [...] dans le psychologisme de beaucoup de thérapeutes et bientôt, si cela continue, dans la puériculture, c'est le corps [...] (Didier Anzieu)

Le corps ignoré alors que publicité, mode, sport, chirurgie esthétique n'en ont que pour lui ? Oui, car on ne s'en soucie que comme objet et, tant que le corps reste un objet pour le moi, « il ne sera jamais la source de joie et de satisfaction qu'est le corps vivant », affirme Alexander Lowen. C'est ce corps vivant qui se meurt souvent faute de soin, d'attention, faute d'avoir reçu ce que Donald Winnicott appelait un *holding* et un *handling* convenables.

Être mal dans sa peau, avoir les nerfs à fleur de peau, vouloir sauver sa peau, autant d'expressions qui nous rappellent l'importance qu'a cet organe dans le sentiment de malaise qui nous habite à un moment donné. La peau n'est-elle pas le plus gros organe de notre corps avec sa surface de près de 2 mètres^2 et son poids qui représente 15 % de toute notre charpente ?

Jane Harlow a démontré que pour les bébés singes le réconfort apporté par le contact avec la douceur d'une peau ou d'une fourrure s'avère plus important encore que le lait. Le cancer est une maladie de peau à son paroxysme. Pour le soigner, je dois traiter mon enveloppe souffrante aux petits soins.

Aujourd'hui, je dorlote mon moi-peau. Rien de trop doux pour ma peau de nouveau moi.

Gino comme cataplasme

... c'est vraiment comme si, par la force de son regard, le chat l'avait maintenu en vie. Il ne l'avait pas quitté des yeux, le tirant par le regard : « Accroche-toi à la vie par mon regard ! » (Philippe Ragueneau)

Le petit enfant adopte un objet qu'il traîne partout pour calmer ses frayeurs, un nounours ou une doudou comme Charlie Brown. On éprouve le même besoin quand on se retrouve seul avec une maladie terrifiante. Quelques semaines avant le coup de tonnerre du cancer, j'avais par hasard adopté un petit chat roux, nommé Gino parce qu'il m'avait été donné par un boulanger italien. Il fut une extraordinaire nounou durant ma guérison.

Lorsque j'étais terrifiée par ce qui se passait dans ma poitrine, Gino, comme averti par un radar, venait s'y blottir. Cette bouillotte chaude, vivante, faisait fondre mon bloc de peur. Dès que je m'agitais et m'énervais un peu, il relevait la tête et me toisait de ses yeux d'or, l'air de me dire : « Du calme, petite. Fais comme moi, relaxe ! » J'obéissais. Et je cicatrisais doucement.

Gino m'aidait aussi à affronter la routine quotidienne. Quand la levée du corps était pénible le matin, que la seule idée de manger me donnait un haut-le-cœur, je trouvais le courage de me lever pour nourrir Gino, qui n'avait pas, lui, reçu de chimiothérapie et gardait tout son appétit. Je trouvais aussi celui de sortir dans la tempête pour aller lui acheter sa bouffe et, une fois rendue devant les étalages de nourriture, l'appétit me revenait à moi aussi.

Je me cherche une source de réconfort, un objet vivant, ou presque, qui m'accompagne et m'apaise lorsque j'ai trop peur.

Pills 'R' Us

Les consultations médicales qui ne se terminent pas par la prescription d'une spécialité pharmaceutique ont à peu près disparu. (Ivan Illich)

Sortir du cabinet du médecin sans prescription donne au malade l'impression de n'avoir pas été pris au sérieux, alors qu'une longue ordonnance donne de l'importance à sa maladie et, par extension, à sa souffrance.

Nous sommes devenus des consommateurs effrénés de médicaments. Les actions les mieux cotées en Bourse sont celles des compagnies pharmaceutiques, que nos maladies font saliver et que nous continuerons d'enrichir si nous persistons à vivre au royaume du *Pills 'R' Us* et ne changeons pas notre fusil d'épaule.

Notre santé est devenue un enjeu de l'économie de marché. Et si nous en changions un peu la donne plutôt que de continuer à faire les pions de la farce ? Les joueurs de l'industrie de la santé ont peut-être notre santé à cœur, mais ils ont aussi leur porte-monnaie au même endroit. Nous sommes les seuls à avoir un véritable intérêt à la disparition des maladies, aux guérisons définitives, à l'inutilité des médicaments. Et si, plutôt que de consommer leurs produits « comme des malades », on essayait de faire baisser le cours de leurs actions ?

J'arrête de gober trop rapidement promesses et pilules miracles. Les animaux lèchent leurs plaies pour les guérir. J'ai aussi mes substances guérisseuses naturelles.

Vigoro, Viagra, Viridité

Nous abordons ici l'une des notions favorites d'Hildegarde, la viridité, du latin *viridis*, vert, vigoureux ; elle l'applique également à la nature et à l'homme, désignant cette énergie interne qui fait pousser les plantes et par laquelle l'homme se développe. (Régine Pernoud)

Au XIIe siècle, Hildegarde de Bingen, cloîtrée dans son couvent des bords du Rhin, ne se contente pas de prier et de composer poèmes et musique mystiques. Elle se préoccupe aussi de santé et écrit les premiers traités de médecine douce en Occident, dans lesquels elle donne des conseils de diététique et de guérison dont on pourrait encore tirer profit.

On la découvre particulièrement soucieuse de trouver un remède à la « mélancolie », d'autant plus redoutable, dit-elle, qu'elle sape la « viridité », notion qu'Hildegarde a inventée de son cru pour l'ajouter aux quatre autres qualités : chaude ou froide, humide ou sèche, utilisées depuis Aristote dans la classification des éléments. Elle voulait souligner par là l'importance de l'élan de vie.

La maladie est la perte de cet élan. Toute viridité nous a déserté. Nous devenons tronc sec, eau plate. Plus rien ne monte, ni sève, ni bulles, ni même l'espoir de les voir réapparaître un jour. Jadis, pour redonner du tonus aux plantes affaissées, une publicité clamait : « Vigoro, c'est tout ce qu'il vous faut. » Viagra fait aujourd'hui les mêmes promesses. Misons moins sur les comprimés pour retrouver notre viridité, et davantage sur le désir.

J'accepte que quelque chose meure en moi pour retrouver ensuite verdeur et vigueur, car « Si le grain ne meurt... »

Touchez-moi, s'il vous plaît

Un des drames de la vie de famille, dès que les bébés ont grandi, c'est notre abandon d'un des contacts les plus précieux qui soient, celui qui nous vient de nos mains. Nous ne savons plus simplement nous laisser aller au plaisir de *toucher pour toucher*. (Jane Howard)

Souvent, les traitements médicaux soumettent le corps à de pénibles agressions, le trio chimio-radio-couteau se révélant rarement une partie de plaisir. Des soins affectueux accordés à notre corps peuvent en compenser les effets pénibles.

Depuis 1920, les études sur les bienfaits du toucher sur la santé se multiplient. Elles ont commencé par accident, après que l'anatomiste Frederick Hammet eut constaté que certains rats survivaient six fois plus que d'autres à une ablation de la thyroïde. Les rats qui survivaient venaient d'une colonie où ils étaient touchés et flattés par ceux qui s'en occupaient, alors que les autres ne l'étaient pas. Nous ne sommes pas différents.

Ayant gardé un très mauvais souvenir de la première injection de chimiothérapie – qui m'avait fait l'effet d'un litre de rouge sifflé en cinq minutes –, j'ai demandé à l'infirmière, au traitement suivant, de me tenir la main pour me donner du courage. Elle l'a fait, tout en m'injectant le liquide lentement afin que le choc soit moins brutal. Au troisième traitement, même requête à une autre infirmière, mais cette fois fin de non-recevoir : « Je n'ai pas trois mains ! » L'autre n'en avait elle aussi que deux, et avait su le faire.

Aujourd'hui, je cherche un contact avec de la peau d'humain. Je le demande sans rougir : « Touchez-moi s'il vous plaît. »

Garde Andrée

William Osler, le plus grand clinicien anglo-saxon du début du siècle, disait que les guérisons de maladies organiques qu'il avait à son actif étaient dues essentiellement, non pas à son traitement, mais à la foi du malade dans l'efficacité de son traitement, au réconfort apporté par les bons soins du personnel hospitalier. (René Dubos)

Lorsque j'entendais garde Andrée approcher dans le corridor en traînant ses savates, j'avais moins peur de l'injection qui venait. Non seulement cette infirmière tenait-elle la seringue d'une main et m'apaisait-elle de l'autre, mais elle me racontait en même temps sa vie en dehors de l'hôpital. Ses balades en ville, ses sorties aux musées, aux concerts, son plaisir à observer les gens et les bêtes. Tout parlait d'équilibre et d'harmonie chez elle. Je sentais qu'elle aimait la vie, sa vie. Je voulais guérir pour pouvoir à mon tour m'en inventer une que j'aimerais et que je savourerais, comme elle.

Je collaborais alors de toutes mes forces avec la perfusion qui pénétrait dans mes veines pour en maximiser l'efficacité. Cette infirmière, en me communiquant l'espoir d'une vie vivable et vivifiante, décuplait l'effet des médicaments qu'elle m'injectait pour me ramener à la santé.

Depuis, je la croise à l'occasion dans le métro, au musée, à la bibliothèque, à l'Oratoire. Une fois, je l'ai approchée pour lui dire cet appétit de vie qu'elle a su m'inoculer jadis et l'en remercier.

Je trouve autour de moi quelqu'un de bien vivant qui vit le genre de vie que je veux adopter. Je m'en sers comme modèle.

Guérisseur interne

Les médecins d'autrefois connaissaient si bien ce pouvoir naturel de l'organisme de maîtriser la maladie qu'ils inventèrent à cet effet la très belle expression *vix medicatrix naturae,* « le pouvoir guérisseur de la nature ». (René Dubos)

Les médecins modernes, obnubilés par les promesses et les prouesses de leur science, ont été tentés de négliger le pouvoir de la nature à se soigner. Depuis une vingtaine d'années, conscients des limites de leur arsenal, ils sont de plus en plus nombreux à valider le rôle du médecin de soi-même.

Ma première série de traitements étant demeurée totalement inefficace, mon oncologue m'a alors rappelé l'importance de « mobiliser mon guérisseur interne ». Qu'un disciple d'Esculape dûment patenté reconnaisse l'existence et l'importance de notre guérisseur interne suffit souvent à mobiliser ce thérapeute méconnu ou en panne et à lui donner du cœur à l'ouvrage.

L'équipe médicale optimale est composée de trois médecins : un médecin du corps qui croit au pouvoir de l'esprit, un médecin de l'âme qui reconnaît l'intelligence du corps, et le médecin de soi-même qui assimile et synthétise la culture des deux premiers au profit de sa propre nature.

Je joue un rôle actif dans l'équipe de ma sainte trinité thérapeutique. C'est en traitant toutes les dimensions de mon être que je peux le restaurer dans son intégrité.

TLC

Or là où je me suis sentie aimée et portée à aimer, je me suis trouvée en sécurité. Et là où je me suis trouvée en sécurité, j'ai retrouvé le courage. Seule l'affection, je le sais maintenant depuis longtemps, peut me porter à ce degré de confiance où je ne crains plus la vie. (Gabrielle Roy)

Durant une période de détresse, Gabrielle Roy a jadis trouvé refuge chez Esther et Father Perfect, dont les tendres soins lui ont donné le courage d'affronter de nouveau la vie.

Pour guérir, il faut se créer ce genre de bulle et s'établir un plan de traitement de *TLC* ou *Tender Loving Care*. Mur à mur, de soi à soi. Comme me l'avait prescrit mon oncologue : « Applique-toi surtout à *être bien* ! » Selon ses goûts, on peut s'autoprescrire de :

- se dorloter comme un bébé naissant;
- se passer des caprices;
- se réchauffer, se bercer;
- demander de l'aide, demander qu'on nous touche;
- dire sa peur, ses craintes, sa faiblesse;
- regarder des émissions pour enfants;
- faire du conditionnement physique;
- faire la lutte aux parasites du cœur, de la tête, des tripes, des idées;
- voir de belles choses : musées, peintures, antiquités;
- se gaver de beau, de bon, de doux, de chaud;
- reprendre contact avec ceux qui nous manquent;
- faire des projets de vacances, de travail;

– dire ce qu'on ressent, sans culpabiliser les autres mais sans ambiguïté.

Je me remets au monde, sans violence, tout en douceur, selon la méthode d'accouchement de LeBoyer. Je me soigne. Je me *care*.

Aujourd'hui, j'établis mon autotraitement de TLC : tendresse, loisirs et compassion.

Macrobiotique, jeûne ou jus de raisin?

Paracelse, Holmes et Osler, entre autres noms prestigieux de l'histoire de la médecine, ont avancé la thèse que l'histoire de la médication est en réalité celle de l'effet placebo plutôt que de remèdes appropriés ayant une valeur intrinsèque. (Norman Cousins)

Dès qu'on nous sait atteint d'une maladie dite incurable, on nous inonde d'une pléthore de suggestions pour guérir allant du régime macrobiotique au jeûne total, en passant par le germe de blé et les week-ends de « métamorphose » à fort prix.

Norman Cousins, avec l'accord de son médecin, s'est guéri d'une maladie dont il avait une chance sur 500 de se tirer en inventant sa propre thérapie, basée essentiellement sur le rire et la vitamine C. Il raconte que d'autres médecins interrogés sur sa guérison ont répondu « que ni le rire ni l'acide ascorbique n'y étaient pour rien et que j'aurais sans doute pu guérir sans aucun traitement [...] que j'avais tiré profit d'une gigantesque opération d'autoadministration de placebo ».

Il ne faut surtout pas négliger le pouvoir de l'effet placebo. Autant il faut se méfier des miroirs aux alouettes agités pour nous appâter et des promesses de guérison miracle, autant il faut écouter notre savoir intime, qui nous informe sur ce qui est profondément indiqué pour soi, et l'utiliser à fond.

Si j'ai besoin de rire, je m'organise pour rire. Si j'ai besoin de parler, je cherche une oreille fiable. Si j'ai besoin de changer mon alimentation, je commence dès aujourd'hui à manger autrement.

Le retour au berceau

N'ayez pas peur de votre bébé. N'ayez pas peur de l'aimer et de lui apporter ce qu'il attend. Les enfants ont besoin de sourires, de bonnes paroles, de jeux, de caresses tendres et amicales, tout autant que de vitamines et de calories. Cela en fera des êtres qui aiment les gens et la vie. (Dr Benjamin Spock)

Les traitements de chimio et leurs effets débilitants nous ramènent presque à l'état de bébé naissant. Nous revoilà, comme lui, sans un poil, avec un estomac capricieux, des intestins récalcitrants, des muqueuses irritables, le tout accompagné d'un fort sentiment d'impuissance. On souhaiterait être langé, gavé, baigné, porté, dorloté, bref, bénéficier de soins intensifs en néonatalogie plutôt qu'en oncologie.

Il y a un risque à endosser le rôle du malade impuissant : celui de le demeurer. Il faut trouver le moyen de satisfaire ses besoins de retour au berceau sans pour autant retomber en enfance. Le mieux est d'apprendre à les satisfaire soi-même, faisant ainsi d'une pierre deux coups : se dorloter tout en apprenant l'autonomie et l'autogarderie.

J'utilise mon énergie à me remettre au monde, quitte à ne faire que cela pour un bout de temps. Je retrouve le courage de l'enfant qui commence à marcher, qui se tient sur ses jambes même s'il a peur, même s'il se sent petit et vacillant.

Je me traite gentiment et affectueusement pour devenir une personne saine qui aime les autres et la vie.

Roulé en boule

Le repliement sur soi ne peut pas toujours rester abstrait. Il prend les allures de l'enroulement sur soi-même, d'un corps qui devient objet pour soi-même, qui se touche soi-même. (Gaston Bachelard)

Dans les moments de détresse profonde, on peut avoir tendance à se recroqueviller, à l'abri dans sa coquille. Ce n'est pas nécessairement mauvais. Cette période de détresse peut annoncer la fin d'une ancienne façon de vivre, être l'occasion d'une nouvelle naissance. Roulé en boule comme un fœtus, le corps s'agrippe à lui-même et rassemble ses forces pour ensuite réintégrer le monde.

La gestation ne se fait pas dans le bruit. On peut avoir besoin de repos, de silence, pour préparer son entrée dans une nouvelle façon de vivre. Il ne faut pas se le reprocher, mais s'autoriser ce repli temporaire. La position de la crevette, comme celle du sprinter, permet de préparer son élan.

On s'est laissé envahir et on ne connaît plus ses propres contours. On était mal dans sa peau sans savoir quelles étaient ses limites. Un repli temporaire permet de redéfinir ses contours, d'éviter de mourir dans l'œuf.

Je m'autorise les moments de répit et de repli dont je sens le besoin. J'emmagasine des forces sans forcer. La crevette se déroulera d'elle-même lorsqu'elle sera prête.

Les livres-viatiques

Il y a des livres dont il faut seulement goûter, d'autres qu'il faut dévorer, d'autres enfin, mais en petit nombre, qu'il faut, pour ainsi dire, mâcher et digérer. (Francis Bacon)

À la veille de partir en voyage, on s'assure d'avoir l'argent et les provisions nécessaires pour la route, notre indispensable viatique. Le prêtre apporte le viatique au chrétien qui s'apprête à partir pour le « grand voyage ». On a aussi besoin d'un viatique pour entreprendre sa traversée du cancer.

Les livres ont été mon viatique. J'avais besoin de ne pas me sentir seule dans ce bateau pour pouvoir en sortir, de coudoyer des humains qui avaient survécu à la même épreuve. Ces témoins, ces acolytes, je les ai trouvés surtout dans les livres de Siegel, Simonton, Pelletier, Cousins, Jaffe, Choprah et bien d'autres. Dès que je sentais ma foi vaciller durant les lugubres soirées d'hiver, dès que je sentais mes cheveux absents se dresser de peur sur ma tête, je me pelotonnais sous une couverture avec l'un de mes fidèles petits chiens de poche que je relisais d'une traite avant d'aller dormir. Ils me servaient de berceuses.

« Il n'y a pas de maladie incurable, il n'y a que des personnes incurables », me chuchotait Siegel. Je voulais le croire. Je ne voulais pas être une personne incurable. J'y ai cru : la personne et la maladie incurables en moi ont disparu.

Je m'assure d'avoir toujours à portée de main un livre d'espoir à mâcher, pour le digérer, l'assimiler et devenir espoir à mon tour.

En pièces détachées

Il n'est plus possible de voir le corps comme un objet qui attend des pièces détachées de l'usine. Au lieu de cela, nous voyons maintenant l'esprit et le corps comme un système intégré. (Dr Carl Simonton *et al.*)

Le diagnostic de la maladie nous catapulte dans un engrenage infernal où l'on se promène comme un figurant dans un film de médecine-fiction. Ballotté d'un département, d'un appareil, d'un spécialiste à l'autre, on ne sait plus qui on est. On devient une maladie, un organe, un objet d'investigation. Comment alors se retrouver comme personne ?

En insistant pour avoir un soignant avec qui on pourra faire le bilan. Qui sera pour nous comme ce fil rouge des câbles marins que l'on suit d'un bout à l'autre du cordage. Qui ne nous considérera pas en pièces détachées mais comme un tout. Qui acceptera de parler avec nous : de nos doutes, de nos inquiétudes et de notre ambivalence. Qui croit au pouvoir de notre guérisseur interne autant qu'à celui des produits chimiques, à l'importance du bien-être moral pour recouvrer la santé.

La confiance est essentielle à la guérison. Quand on est enfermé dans un tunnel de scanner, elle n'en mène pas large mais quelques minutes de conversation peuvent la raviver. La parole humaine aide à faire passer la pilule.

De plus en plus de soignants traitent le malade comme un tout. Ce sont eux que je choisis pour m'accompagner.

Sous anesthésie, mais tout ouïe

Certains chirurgiens font maintenant appel aux facultés des opérés sous anesthésie pour prévenir les complications postopératoires [...] Pendant que j'opère, je parle continuellement aux malades pour leur décrire tout ce qui se passe, et cela m'a parfois permis de sauver des vies.
(Dr Bernie Siegel)

Ne voulant pas qu'on discute de golf ou de bicyclette à mon nez, pendant que j'aurais la cage thoracique ouverte, j'ai demandé à mon chirurgien de me parler, à moi et de moi, durant l'intervention. De me dire que je récupérerais rapidement, que je saignerais à peine, que tout en moi – os, vaisseaux, nerfs – se remettrait en place vite et bien, et que je pourrais partir pour les îles de la Madeleine, tel que prévu, six semaines plus tard. Il m'a d'abord regardée de travers, mais a finalement promis de le faire. Avec sa promesse, je me suis laissé rouler vers la salle d'opération le cœur plus léger.

Il n'avait plus du tout l'air réticent ni sceptique en entrant dans ma chambre le lendemain. Il était plutôt ravi et surpris : j'avais si vite et si bien récupéré qu'on m'avait sortie de la salle de réveil avant le moment prévu, pour laisser la place à d'autres. Dans les brumes de l'anesthésie, j'avais réussi à articuler : « Mais est-ce que cela met ma vie en danger ? » Quelqu'un a répondu en riant : « Si vous continuez à la défendre de cette manière, je n'ai aucune inquiétude pour votre vie. »

J'obtiens la complicité des soignants dans ma façon de prendre soin de ma vie. Une fois la surprise passée, ils sont souvent heureux de le faire.

Chimio, couteau ou radio?

Hésitez-vous?... tout est dit, vous vous trompez. (Balzac)

Il n'est pas facile de se situer face aux propositions des médecins, de fixer son choix non pour calmer les uns ou épater les autres mais pour être en accord avec ce que l'on ressent en soi, profondément. Il faut arriver à une certitude intérieure absolue par rapport au choix que l'on fait, opter pour celui qui nous procure un sentiment d'assurance, d'évidence, de paix.

Face à la chimio, j'ai d'abord hésité, pour avoir vu ma petite sœur en subir les effets pénibles et malgré tout en mourir. J'ai tout de même décidé d'y recourir, voulant stopper au plus vite les cellules malignes qui me grimpaient dans le médiastin.

Face au couteau, j'ai hésité aussi, me sachant guérie et n'en voyant plus la nécessité. J'ai toutefois cédé devant l'insistance des médecins. L'intervention n'a fait que confirmer ce que je sentais : la lésion était si bien cicatrisée que le tissu de mes poumons ressemblait, chirurgien *dixit,* au « caoutchouc calciné des pneus de Saint-Amable », célèbres à l'époque.

Face à la radio, je n'ai eu aucune hésitation. Cette fois, j'ai pu dire simplement : « Non merci. » À la fureur du médecin d'ailleurs, qui m'a lancé : « Tant pis, c'est votre vie ! » Eh oui ! j'en avais enfin repris possession et la savais désormais sauve.

La médecine propose et je dispose. J'ai en moi une intelligence proprioceptive qui sait. Lorsqu'elle parle clairement, je l'écoute.

Et pourquoi pas un peu d'opium?

La religion est le soupir de la créature accablée, le cœur d'un monde sans cœur, comme elle est l'esprit d'une époque sans esprit. Elle est l'opium du peuple. (Karl Marx)

La nouvelle qu'on est atteint de cancer nous laisse atterré, accablé, désemparé. Vers qui se tourner pour être réconforté ? Souvent, notre entourage est encore plus affolé que nous.

Depuis longtemps, je m'étais sevrée d'« *opium du peuple* », pour me prouver comme le jeune enfant que j'étais « capable toute seule ». Devant cette menace de mort, en sentant le métal froid du revolver sur ma nuque, j'ai dû reconnaître que toute seule je n'y arriverais pas, et j'ai retrouvé la prière.

Personne ne méprise l'usage de la chimiothérapie. Au contraire, on nous encourage à utiliser ces drogues dures pour guérir. Pourquoi tant de condescendance pour une autre forme d'aide ?

Prier implique de faire confiance. Or, c'est précisément l'absence de toute confiance qui nous a mené à l'isolement, au cynisme et à la maladie. Retrouver la capacité de croire à la mansuétude de quelque Autre est éminemment thérapeutique. Il est aussi respectable d'avoir recours à un opium doux qu'aux drogues dures pour se soigner. Notre corps, qui lui ignore la vanité, sait que c'est dans la confiance qu'il peut cicatriser.

Je me fous des craintes de toxicomanie morale. La prière ne me rend pas soumis et résigné, elle me permet d'aller puiser dans mes réserves de courage.

Foutaises?

Plusieurs études l'attestent : la foi peut guérir les maladies les plus graves, voire « incurables ». Le potentiel thérapeutique de la prière est tel que de nombreux médecins américains prennent désormais le phénomène très au sérieux. (Brian Melley, Associated Press, Boston)

Dans son premier livre, publié en 1986, le Dr Bernie Siegel raconte qu'un jour il a épinglé sur le babillard de son département, à l'hôpital, les résultats d'une étude démontrant que les membres d'un groupe de cardiaques pour lesquels des croyants avaient prié avaient présenté deux fois moins de complications et un risque plus faible de défaillance cardiaque que ceux d'un autre groupe qui n'avaient fait l'objet d'aucune prière. Le lendemain, il découvrait, gribouillé en travers de l'article : « *Bullshit* ».

Dix ans plus tard, on retrouve à la prestigieuse université Harvard près d'un millier de professionnels de la santé discutant de spiritualité et de guérison, le Dr Dale Matthews reconnaissant que dorénavant « les traditions spirituelles de la guérison vont rejoindre la chirurgie et les médicaments » dans l'arsenal des traitements. Mode, illumination, récupération ? Chose certaine, il ne faut pas attendre le *nihil obstat* de la science sur nos croyances ; mieux vaut se fier à sa propre expérience. À certains moments, alors que j'étais prête à jeter la serviette, je me suis sentie littéralement épaulée par ceux qui m'avaient assurée de leurs pensées et de leurs prières.

Je n'ai pas à rougir de mes croyances ni à mépriser mes intuitions : elles risquent d'être un jour validées et adoptées par la science.

Des vertus du sommeil et des bulles

... Le sommeil qui démêle l'écheveau embrouillé du souci, [...] bain du labeur douloureux, baume des âmes blessées, second service de la grande nature, aliment suprême du banquet de la vie ! (Shakespeare, *Macbeth*)

Au XIIIe siècle, le grand Thomas d'Aquin se demande : « Le sommeil et les bains soulagent-ils la tristesse ou la douleur ? » Il commence par répondre que non, puisque « la tristesse réside dans l'âme. Or le sommeil et les bains n'agissent que sur le corps. Donc ils ne contribuent pas à l'adoucissement de la tristesse ».

Il se rappelle alors que saint Augustin, son illustre prédécesseur du Ier siècle, avoue dans ses *Confessions* : « Je décidai alors d'aller aux bains, ayant entendu dire que ce terme de bain venait du grec *βαλανεῖον*, car le bain *chasse* l'inquiétude de l'âme. [...] Puis je m'endormis. À mon réveil, je constatai un apaisement sensible de ma douleur... » Thomas conclut finalement que « puisque le sommeil et les bains restaurent les forces et rétablissent le corps dans un état convenable au mouvement vital, ils soulagent et diminuent la tristesse ».

Les vertus du sommeil et du bain vantées par les plus grands docteurs de l'Église ! Cette fois, croyons la publicité et utilisons copieusement ces remèdes. Ils apaisent, consolent et favorisent la cicatrisation du corps aussi bien que de l'âme. Une véritable aubaine !

Je ne me culpabilise plus de mes longues heures de sommeil et de trempettes. Elles me permettent de guérir plus vite.

Chauve, souris!

On tient à sa chevelure comme à la prunelle de ses yeux, comme à sa propre peau, comme à sa personnalité. (Didier Anzieu)

Perdre ses cheveux, se retrouver tout à coup avec une tête de poussin déplumé, est affolant. On se sent ostracisé comme ces lépreux d'autrefois qui devaient agiter une clochette pour éloigner les passants.

Pour éviter la terreur dans les yeux des autres, on s'affuble de turbans, de toupets, de perruques, alors que tous les gens atteints de cette disgrâce devraient se promener tête haute et nue, crâne au vent. Plutôt que de cacher notre stigmate, l'exhiber. Plutôt que de déprimer, crâner : « Tondus du monde entier, unissons-nous ! » La vision concrète de notre cohorte ferait comprendre, mieux que des statistiques, qu'il n'y a pas quelque chose de sérieusement pourri qu'au seul royaume du Danemark.

La perte de ses cheveux, c'est un peu la mue du serpent qui abandonne sa vieille peau pour en habiter une nouvelle. On se retrouve temporairement fragile et nu, mais c'est pour mieux se retisser une gaine qui nous convient mieux, une identité qui ne soit plus prothèse ou postiche mais authentique. On peut même parvenir, sinon à en rire, du moins à en sourire. Après avoir rêvé que j'étais une « chauve-souris », j'ai pu, bien que chauve, en sourire.

Je tâte mon corps de mutant, sans répulsion, sans honte, avec compassion. Il est en train de tisser sa nouvelle enveloppe.

L'Ange à la perruque

La compassion implique un élément de connaissance et d'identification : « Vous connaissez le cœur de l'étranger, dit l'Ancien Testament, car vous avez été des étrangers sur la terre d'Égypte ; [...] par conséquent, aimez l'étranger ! » (Erich Fromm)

La quête de la moumoute qui m'aille comme un gant s'est transformée en chemin de la Croix. Les vendeurs de perruques affichaient la même désinvolture que si je m'étais apprêtée à fêter l'Halloween. Que je magasine pour masquer les effets de la chimio plutôt que pour un bal masqué leur importait peu.

Alors que les vendeurs de souliers s'enquièrent de la pointure de notre pied, les vendeurs de perruques ne se souciaient pas du tout de celle de ma tête. Or, j'ai le crâne petit, de format néandertalien. Les cascades de boucles à la Louis XIV qu'on me proposait me faisaient ressembler à Big Bird des Muppets qui aurait chipé la perruque de Miss Piggy. À pleurer.

Je suis sortie chauve et bredouille de six boutiques. À la septième station, j'ai enfin trouvé la perle des perruquiers. L'homme « connaissait le cœur de l'étranger » car lui-même portait perruque. Il a su me dénicher dans son arrière-boutique une perruque pour enfant parfaitement adaptée à mon minicrâne.

Je n'oublierai jamais la tendresse et la délicatesse de monsieur Henri. Sa main apaisante sur mon crâne nu. Son regard dans lequel je ne lisais ni la peur ni la pitié. Juste la compassion.

L'étranger mis sur mon chemin l'est souvent pour m'aider à affronter l'adversité.

Le chœur des pleureuses

Toute maladie devient, à un moment ou à un autre, le lieu d'une rencontre mystérieuse de chacun avec soi-même... dans un dialogue où s'enchevêtrent douleur et espoir, peur de mourir et désir de vivre. [...] va-t-il chercher à faire face ou va-t-il baisser les bras ? (G.-N. Fischer)

Avant même le début des traitements, pour en optimiser les effets, j'ai joint un groupe de relaxation et de visualisation. La première séance m'a totalement rebutée. Je me suis retrouvée dans un local gris et froid de l'hôpital, encadrée par deux femmes qui pleuraient toutes les larmes de leur corps sur leur propre mort annoncée. Pour elles, cancer signifiait mort à brève échéance, comme pour moi jadis à l'occasion du cancer de ma sœur. J'ai su immédiatement que je ne pourrais jamais conserver mon espoir de guérison, déjà vacillant, en demeurant dans ce groupe.

À ma demande, l'animatrice m'a intégrée dans un groupe de patientes « en rémission ». Suffisamment confiantes en leur propre guérison pour tolérer qu'un élément « malade » se joigne à elles, elles n'ont pas eu peur que je les contamine et m'ont laissée guérir avec elles. Après chaque séance, détendues, affamées, nous nous retrouvions autour d'une table pour fêter nos appétits renaissants.

Le désespoir est contagieux ; il ne faut pas s'y exposer, surtout durant des périodes de grande vulnérabilité. Mieux vaut alors fréquenter des êtres ayant choisi, comme nous, de faire face.

Je fuis les pleureuses prématurées. Je recherche les êtres conviviaux, les échanges chaleureux, les coude-à-coude vivifiants.

Une pinte de bon sang

Je découvris avec joie que 10 minutes d'un bon gros rire avaient un effet anesthésiant, calmaient mes douleurs et me donnaient au moins 2 heures de sommeil. (Norman Cousins)

Ma nièce s'amusait souvent à essayer ma perruque. Avec sa tête deux fois plus grosse que la mienne, on aurait dit qu'elle y perchait un bonnet de lutin lorsqu'elle enfilait mon petit postiche. De plus, ses sourcils noirs juraient avec le roux de mes pseudo-cheveux. L'effet était horrible, mais si cocasse que nous en riions aux larmes chaque fois.

Norman Cousins a guéri d'une paralysie progressive, jugée irréversible par les médecins, « en riant ». « Si les émotions négatives produisent des modifications chimiques négatives dans le corps, s'est-il dit, les émotions positives ne produiraient-elles pas des modifications positives ? L'amour, l'espoir, la foi, le rire, la confiance et la volonté de vivre pourraient-ils avoir une valeur thérapeutique ? Les modifications chimiques ne se produisent-elles que dans le mauvais sens ? » Sa guérison a démontré qu'il avait vu juste.

L'entourage se demande quoi faire pour alléger notre épreuve. Ce sont souvent les moments les moins prémédités, les partages les plus anodins qui sont les sources du plus grand réconfort. Pas nécessaire de s'établir un programme systématique pour rire et guérir. Il suffit de saisir l'occasion. Une nièce coquine et une perruque exécrée suffisent.

Je m'entoure de proches qui savent favoriser les émotions positives. Avec eux, je retrouve le sens de la fête et de la vie.

Boxing Day

L'amour fraternel est un amour entre égaux. Il est vrai que, même en tant qu'égaux, nous ne sommes pas toujours « égaux »; en effet, dans la mesure où nous sommes humains, nous avons tous besoin d'aide.
(Erich Fromm)

Pour la Noël de l'époque des traitements, je n'avais plus qu'un vieux jeans à me mettre sur le dos. Depuis des mois, j'abandonnais la vie peu à peu et me souciais fort peu de quoi affubler cette carcasse dont je ne savais plus que faire.

Le lendemain de Noël, ma sœur m'a entraînée dans la cohue du *Boxing Day* à la recherche de vêtements en solde. Devant une combinaison de velours prune que je ne pouvais m'empêcher de flatter tant elle était douce, j'hésitais. Cela valait-il la peine? N'était-ce pas gaspiller de l'argent pour rien? Allais-je vivre assez longtemps pour rentabiliser l'investissement? Ma sœur a dû me pousser vers la caisse pour faire cesser mes tergiversations.

Dix ans plus tard, j'enfile cette combinaison tous les matins pour écrire. C'est mon bleu de travail, ma tenue fétiche, mon aube de Balzac à moi. Douce, spongieuse, elle me caresse à chacun de mes mouvements et me rappelle quelle bonne décision j'ai prise de miser sur la vie ce jour du *Boxing Day*.

Le « besoin d'aide ne signifie nullement que l'un soit démuni et que l'autre soit puissant, dit Fromm. La faiblesse n'est qu'une condition transitoire... » Il faut savoir l'accepter temporairement.

L'aide fraternelle peut m'aider à avancer dans la foule, à y « boxer » un peu du coude pour découvrir ce qui est doux pour moi.

Mes commensales

Chevaliers de la Table ronde
Allons voir si le vin est bon

L'aide la plus précieuse que l'on peut recevoir lorsqu'on est malade est d'être traité en personne ordinaire, pas en malade. On essaie soi-même que la maladie ne devienne pas le centre de notre vie, et ce n'est pas si facile. On apprécie donc que notre entourage nous y aide aussi.

Une amie me téléphonait à l'improviste : « Viens-tu prendre un café ? » Par un froid polaire de février, l'idée seule d'enfiler perruque et tuque pour me pointer dehors me frigorifiait, mais l'amie qui m'attendait au bistro m'en donnait le courage. Une fois attablée avec elle, j'en étais réchauffée au centuple.

Avec une autre, j'avais un rendez-vous de gastronomie-santé chaque mois. Ma première sortie dans le monde, perruquée, c'est avec elle que je l'ai faite. Peu habituée, je suis allée vérifier par deux fois durant le lunch si elle tenait bien. Par miracle, le garçon à la caisse m'a demandé si on m'avait déjà dit que je ressemblais à Mia Farrow. Il ne saura jamais quel baume il a versé ce jour-là sur un pauvre caillou mortifié.

Chaque rendez-vous avec mes compagnes de table, mes commensales, m'aidait à réintégrer la société dont je m'étais progressivement exclue. À aller tâter du bon vin, de la bonne vie.

Je réapprends la convivialité. Je réintègre le monde. Sans me forcer. Petit à petit. Avec ceux qui m'effraient le moins.

Le Frère volant

Un Samaritain, qui était en voyage, arriva près de lui, le vit et fut touché de compassion. Il s'approcha, banda ses plaies, y versant de l'huile et du vin ; puis il le chargea sur sa propre monture, le conduisit à l'hôtellerie et prit soin de lui. (Luc, X, 33)

On voyait jadis à la télé la sœur volante atterrir au bon endroit, au bon moment pour dépanner les mal pris de la Terre. Moi, c'est un Frère volant que j'ai vu atterrir dans ma cuisine.

Depuis qu'il avait fait quelques travaux de rénovation chez moi trois ans auparavant, celui que j'appelais mon artiste du marteau venait souvent à l'improviste me faire un brin de causette entre deux clous plantés dans les environs. Il s'était développé entre nous une amitié insolite, une communication essentielle.

Je ne l'avais pas vu depuis longtemps lorsque j'ai reçu l'annonce fatidique par téléphone. J'étais dévastée. Cinq minutes plus tard, il sonnait à ma porte : précisément la personne, la main sur l'épaule dont j'avais besoin. Il en était assuré : « Tu vas guérir ! »

Par la suite, guidé par son radar spécial, il me tombait toujours du ciel au moment précis où l'angoisse menaçait de m'engloutir. Chaque fois, il réussissait à me réconforter avec sa thérapie du gros bon sens, sa gouaille, sa camaraderie, sa chaleur.

À mon arrivée à l'hôpital la veille de la chirurgie, il attendait, assis sur la rambarde de pierre de l'escalier à l'entrée du pavillon, tel un ange gardant le seuil de ma nouvelle vie.

Le bon Samaritain surgit souvent de nulle part : je le laisse bander mes plaies et me charger quelque temps sur sa monture.

Les mouches du coche

Une Mouche survient, et des chevaux s'approche,
Prétend les animer par son bourdonnement,
Pique l'un, pique l'autre, et pense à tout moment
Qu'elle fait aller la machine (Jean de La Fontaine)

La nouvelle d'une mort imminente bouleverse l'entourage et le laisse peut-être encore plus démuni que la personne atteinte. Comme le père au moment de l'accouchement, il se sent concerné mais inutile et impuissant.

Pour pallier ce sentiment d'impuissance, on peut avoir tendance à s'agiter, à vouloir tout mettre en œuvre pour sauver l'autre. On voudrait le secouer, le convaincre d'utiliser les outils que soi-même on utiliserait « si » on était à sa place.

Lorsque ma petite sœur fut atteinte de la maladie, je la sentais y céder, abdiquer. J'aurais voulu qu'elle utilise mes outils privilégiés : thérapie, lectures, écriture. Je lui ai apporté des livres, un beau cahier neuf. Elle n'a voulu ni parler ni lire. Elle a écrit une seule ligne. De son côté, notre tante religieuse recommandait la prière et le prêtre, ses outils à elle. Sans plus de succès.

C'est souvent de notre propre angoisse face à la mort que l'on se défend lorsque l'on veut secouer la cage du malade qui ne réagit pas comme on le souhaiterait. Rien ne sert de bousculer, de sermonner et de bourdonner : il suffit d'accompagner.

Différents outils de guérison existent : ai-je le désir de m'en servir ? Si oui, je saurai choisir ceux qui me conviennent.

Les amis de Job

Trois amis de Job apprirent tout ce malheur qui lui était survenu et ils vinrent chacun de son pays. [...] Ils s'assirent à terre près de lui sept jours et sept nuits et ils ne lui disaient rien, car ils voyaient que sa douleur était très grande. (Job, II, 11-13)

Lorsque nos amis apprennent que nous avons le cancer, ils voudraient posséder des pouvoirs magiques pour nous en guérir. Ils croient même quelquefois détenir la solution miracle à nos maux.

S'ils nous ont vu dépérir toute notre vie dans un bureau alors que nous rêvions d'être pilote d'avion, s'ils nous ont vu former un couple mal assorti et destructeur durant des décennies, s'ils nous ont vu longtemps traîner notre peau comme un condamné à mort, ils voudraient bien sûr que nous saisissions l'occasion de cette maladie pour changer radicalement le cap de notre vie.

Ils ont probablement raison, sauf que la solution, c'est de l'intérieur de nous qu'elle doit venir. Le long chemin à rebours pour comprendre de quoi notre tumeur est l'éclosion, le travail et les choix pour en renverser le cours, c'est nous qui devons les faire.

Ceux qui m'ont le plus aidée durant cette épreuve ne « disaient rien », comme les amis de Job. Ils savaient ma douleur et je savais qu'ils la savaient. Ils savaient écouter, au besoin, et ne tentaient pas de noyer ma peur et la leur sous un flot de « solutions ».

J'avoue à mes proches que c'est surtout leur communion de pensée qui m'aide à élaborer mon plan de traitement et de vie.

La pilule de Claude

Ma fille, mon enfant
Je vois venir le temps
Où tu vas nous quitter...
Mon enfant, mon petit
Bonne route, bonne route (Eddy Marnay)

Accompagner un être cher dans la maladie peut se révéler crucifiant. L'autre est affaibli, fragilisé, vulnérable. La culpabilité nous ronge : pourquoi lui et pas moi ? Lorsque ma jeune sœur a été atteinte de cancer, j'ai cru qu'il y avait erreur sur la personne.

Claude n'était pas seulement ma sœur, elle était aussi ma fille, mon enfant, ma filleule. De 11 ans ma cadette. Que j'ai vue disparaître en 11 mois. J'aurais voulu marcher à sa place lorsqu'elle claudiquait, manger à sa place lorsqu'elle dépérissait, parler à sa place lorsqu'elle se taisait.

Un jour, au retour d'une séance de chimiothérapie éprouvante, je lui ai apporté le petit haricot en cas de nausées, un cachet pour les prévenir et un verre d'eau. J'ai déposé le bol sur la table de chevet, le verre dans la main de Claude, et gobé moi-même la pilule. Nous avons bien ri toutes les deux, et compris qu'il était illusoire de vouloir avaler la pilule de l'autre.

Accompagner l'autre, c'est aller avec lui là où il va. S'il va vers la guérison, l'accompagner en toute confiance. S'il achève son parcours, lui accorder la même confiance. Il connaît sa route.

Que l'être aimé s'embarque pour un pays d'ici ou de là-bas, je l'accompagne sur le quai pour lui souhaiter : « Bonne route ».

Un chien dans un jeu de quilles

La vie familiale et la vie conjugale, aussi bien que la vie menée en des organisations de différentes sortes, peuvent reposer année après année sur des variantes du même jeu. (Éric Berne)

La maladie fait souvent éclater les rôles que nous jouions jusque-là dans le nid familial, amical ou de travail. Tout bascule : l'aidant devient l'aidé, le sauveur, le sauvé, l'invincible, le fragile. La maladie éparpille sans vergogne toutes les quilles sur l'allée et balaie de sa queue toutes les pièces sur l'échiquier.

Personne n'a vu venir la bête. Tous se retrouvent déstabilisés par son irruption. Elle crée, autant chez le malade que dans son entourage, une onde de choc qui, comme l'a observé Éric Berne, « risque d'entraîner des effets en progression géométrique ».

La maladie n'est pas innocente : elle a souvent son calendrier secret. Elle sert parfois à secouer des rôles, des jougs, des pièges dont on ne réussissait pas à s'extirper autrement. Les liens se serrent ou se desserrent, les nœuds se tendent ou se coupent. Chacun doit redéfinir son rôle. Chacun aura besoin de temps pour retomber à sa nouvelle place.

J'ai peut-être joué au sauveur trop longtemps. La maladie m'a permis de renverser les rôles temporairement. Maintenant, j'essaie de me redéfinir un rôle où je saurai à la fois aider et être aidé.

En dévoilant mon malaise au grand jour par le truchement de la maladie, j'ai joué une pièce qui a bouleversé le jeu. Je ne m'étonne pas des retombées. Je choisis ma nouvelle place sur l'échiquier.

Bordée par son enfant

Car n'oublions pas que si l'éducation d'un enfant prend en moyenne 15 à 18 ans, l'éducation d'un parent peut demander un demi-siècle et parfois même plus. (Jeanne Van Den Brouck)

Avant la première injection du traitement de chimio, je me sentais comme le petit enfant qui voit approcher la seringue de ses premiers vaccins. J'aurais voulu hurler, me rouler par terre, comme ces petits mal élevés dont je n'avais jamais été jadis.

Je craignais par-dessus tout l'état nauséeux, le brouillard dense et gluant de la fin du premier après-midi. J'appréhendais le moment où je me retrouverais secouée par la tourmente, Petite Poucette dans sa coquille de noix, en plein centre du triangle des Bermudes.

Mon fils a pris l'habitude de venir veiller à mon chevet le premier soir des traitements, au retour de son travail. Sa présence silencieuse m'apaisait à travers la brume des drogues. La chambre tanguait moins fort. Ma nuit était moins houleuse après son départ.

Pas du tout certaine d'avoir su moi-même calmer jadis les terreurs de mon enfant, je me retrouvais maintenant rassurée, veillée par lui, en train d'achever l'éducation de sa mère. Les deux autres jours, les doses étant moins massives et moi, moins terrifiée ; je terminais le traitement seule, grande comme une personne !

C'est souvent au moment de franchir le seuil, la main sur la poignée de la porte, qu'on se dit les vraies choses. En revenant ensuite à la vie, elles demeurent dites à jamais. Précieuses.

Belle... mais mal dans sa peau

Pour les femmes qui doivent vivre avec un cancer, le problème que représentent les changements dans leur apparence physique est loin d'être superficiel – c'en est un d'estime et de confiance en soi, de dignité personnelle. Mais voici qu'un remarquable nouveau programme, commandité par l'Association canadienne des cosmétiques, produits de toilette et parfums s'attaque énergiquement à ce problème. (Programme *Belle... et bien dans sa peau*)

« Bien paraître pour se sentir mieux », nous disent-ils. Paraître, bien paraître, toujours paraître. C'est justement ce qui nous a rendus malades. Ce n'est pas en continuant à cultiver le paraître qu'on guérira. Oui, il nous faut retrouver notre estime de soi et notre dignité, mais pas par des opérations de maquillage et de camouflage. Il ne faut plus être complices de cette société cosmétique qui veut nous soigner aussi par les cosmétiques.

« Jamais des cils aussi longs n'auront paru aussi épais. » C'est nous qui serions épais de tolérer leur indécence. Quand on n'a plus un cil, on l'applique où, leur rimmel ? Et leur shampoing revivifiant ? Sur les cheveux dans la poubelle peut-être ? « Le parfum vous remonte le moral », disent encore ces inconscients alors que, durant cette période, les vapeurs de parfum sont des vomitifs garantis.

Je refuse de laisser récupérer l'horreur de la maladie par des intérêts mercantiles. Je ne leur servirai pas de vache à lait ni de chair à profits. L'aliénation a assez duré.

Aujourd'hui, plutôt que de camoufler les effets de ma maladie, j'en cherche les causes. Plutôt que de peinturer, je décape.

Stop – Clic – Assez

J'ai décidé d'être heureux parce que c'est bon pour la santé. (Voltaire)

Les empêcheurs de guérir en rond sont légion. Ruminer, ressasser, remâcher, rabâcher en sont de puissants. Et les prétextes ne manquent pas durant la maladie. On rumine sur ses craintes de manquer d'argent, de temps, d'amis, de travail. On ressasse les regrets et les remords d'une vie qu'on croit ratée. On égrène des chapelets de si. Comment se sortir de cette spirale une fois qu'on s'y est engouffré ?

Dans une session pour cesser de fumer, ma sœur avait appris à utiliser un mot-couperet comme « stop », « clic » ou « assez » dès que l'envie de la cigarette surgissait. Je lui ai emprunté le truc pour couper court à mes tentations de ruminer. Elles étaient si fortes que je devais réciter les trois mots à la chaîne pour éloigner les idées folles qui accouraient au galop. Je leur opposais un Stop-Clic-Assez implacable pour revenir dans le présent, là où se joue la vie à rétablir, la guérison à réussir.

Décider de guérir, c'est aussi décider d'être heureux puisque c'est meilleur pour la santé. Ruminer et rabâcher ne sont qu'une façon de se flageller, et la flagellation n'est pas bonne pour la santé ! Stop-Clic-Assez aux idées cruelles qui veulent m'écorcher.

La guérison est un choix. Être heureux aussi. C'est le même. C'est le seul. C'est celui que je fais.

Naître définitivement

Nous naissons, pour ainsi dire, provisoirement, quelque part, c'est peu à peu que nous composons en nous le lieu de notre origine, pour y naître après coup, et chaque jour plus définitivement. (Rainer Maria Rilke)

Certains enfants ont plus de mal que d'autres à naître. Il faut aller les dégager du tunnel où ils sont coincés en les touant à l'aide de forceps. Le cancer sert parfois de forceps à une vie mal engagée. C'est un moyen brutal et douloureux, mais parfois nécessaire pour sauver une vie menacée, pour permettre à un être hésitant de naître définitivement.

On vit alors « ... dans la terre qu'il faut, au moment qu'il faut, un accouchement plein de cris, et ce sentiment calme de la tâche qui se déroule, des étapes qui viennent, attendues presque sans impatience, avec sécurité. Il faut souffrir pour que ces vérités ne soient pas des doctrines, mais partent de la chair » (Emmanuel Mounier).

Cet accouchement plein de cris me permet de fixer en moi mon nouveau lieu d'origine, librement consenti, et d'y revenir constamment par la suite pour raffermir mon choix de vivre.

Il y a eu l'ère avant et celle après J.-C. Pour moi, il y aura l'avant et l'après-cancer. L'avant-cancer : vie subie ; l'après-cancer : vie choisie.

Plutôt prévenir...

La prévention, ce n'est pas d'éviter à un enfant de souffrir mais de mettre des mots sur ce dont il souffre et reconnaître avec compassion qu'il en souffre. (Françoise Dolto)

La médecine curative se révélant souvent pénible, coûteuse et inefficace, les épidémiologistes tablent de plus en plus sur la prévention par la modification de l'environnement et des habitudes de vie, et par le dépistage précoce. La cure miracle tardant à venir, on investira dorénavant dans la purification environnementale tous azimuts et dans l'analyse de l'ADN de chacun. L'avenir seul nous dira si le coût en valait la chandelle. On peut dès maintenant constater que l'approche est partielle et partiale.

En ne ciblant que les facteurs biophysiques, on évacue les facteurs existentiels, tout aussi déterminants. En interrogeant les gènes de chacun pour connaître ses « chances » de développer un cancer, on ne fait qu'encourager l'attitude déterministe et fataliste, nuisible face à cette maladie.

La prévention véritable devrait dépister aussi la détresse morale. Non pour empêcher les gens de souffrir, mais pour reconnaître leur souffrance et leur permettre d'y inventer une autre réponse que la maladie, celle-ci n'étant, selon Christian Bobin, « qu'une réponse, une pauvre réponse qu'on invente à une souffrance ». Chercheurs, sachez aussi chercher du côté des poètes.

Je surveille toutes mes habitudes de vie : eau, air, aliments, exercice, mais aussi et surtout la qualité de l'espoir ambiant.

Complainte du petit pain

Le tourment chez certains est un besoin, un appétit, et un accomplissement. Partout ils se sentent diminués, sauf en enfer. (Émile Cioran)

Habitués que nous sommes à vivre sous terreur et sous tourment, il nous est extrêmement difficile de quitter cet état pour un autre. J'ai longtemps fait le même rêve : je voulais m'envoler vers Paris mais, à la dernière minute, j'en étais toujours empêchée, ayant perdu mon passeport, mes billets, mes bagages ou ma route. Je restais désespérément clouée au sol, incapable de prendre mon envol.

Clouée à quoi ? À quelle croix ? À ma croix de petit pain. Née pour lui, je ne voulais le lâcher à aucun prix, même si je mourais littéralement d'envie d'en goûter d'autres. J'en avais ras-le-bol du petit pain judéo-chrétien ratatiné, ras-le-bol de cette vie d'expiation, de ces années passées à racheter ma faute d'exister.

Je devais me procurer le passeport qui m'autoriserait à franchir la frontière. Comme je ne réussissais pas à le faire, la maladie m'a servi de sauf-conduit. En traversant la frontière interdite, j'ai enfin pu mordre dans ma vie, en apprécier la saveur, la comparer à l'insipidité de mon petit pain morne de corps mort.

Fini le passage de vie à trépas, maintenant je fais le vice-versa. J'émerge de ma traversée du désert, de mon séjour aux enfers. Je rencontre le mystère.

Bénéfices marginaux

Quand elle a appris qu'elle était atteinte d'un cancer du sein, elle a confié à des amies intimes que, chose bizarre, elle se sentait soulagée. Avoir le cancer signifiait pour elle qu'elle pouvait commencer à dire non, à établir ses bornes et à se décharger enfin du fardeau du comité d'école sans se sentir coupable. Elle pouvait maintenant racheter sa vie. Après tout, personne ne s'attend à ce qu'une femme qui se bat contre un cancer du sein ne fasse autre chose que prendre soin d'elle-même.
(Sarah Ban Breathnach)

La maladie représente souvent le *time out* dont on rêvait en vain depuis longtemps, alors qu'on se trouvait englué dans un filet d'obligations ou à bout de souffle dans une poursuite insensée de reconnaissance, d'admiration, de performance, et incapable de stopper la machine un instant.

Grâce à la maladie, congé de tout cela. Permission de se dorloter, de s'écouter, de prendre son temps, d'oublier les devoirs pour s'accorder enfin quelques droits. Curieusement, la maladie nous donne le droit de vivre vraiment.

Guérir, c'est trouver le moyen de jouir des mêmes bénéfices sans avoir à être malade. J'établis donc la liste de toutes ces permissions que me donne la maladie et que je ne m'accordais pas auparavant. Je me prépare à me les autoriser dorénavant, mais en parfaite santé et en toute bonne conscience.

Je me donne la permission de me dorloter, sans être malade. Je m'accorde le droit de faire ce que j'aime. À mon rythme. Pas pour la galerie. Par loyauté envers moi.

L'inviter ou l'éviter?

Le plus grand don que Dieu, dans sa largesse, fit en créant, le plus conforme à sa bonté, celui auquel il accorde le plus de prix, fut la liberté de la volonté. (Dante)

On perçoit la maladie comme un visiteur malvenu qui nous tombe dessus à l'improviste, sans invitation, qui s'impose et s'incruste sans que nous puissions le déloger.

Nous avons beaucoup plus de pouvoir que nous croyons face à cet intrus. On dit que nous n'utilisons qu'une infime partie des pouvoirs de notre cerveau. Si nous apprenions à en utiliser un maigre 1 % de plus, si nous gérions différemment notre corps plutôt que de tout attendre des découvertes médicales, l'industrie de la maladie s'en porterait moins bien et nous beaucoup mieux.

Quand s'annoncent un mal de tête, un tour de reins, une grippe qui nous auraient jadis paru inévitables et nous auraient invalidé pour quelque temps, nous pouvons dorénavant prendre le temps de réfléchir avant de leur ouvrir la porte.

Pourquoi maintenant? Ai-je besoin de répit? Y a-t-il une corvée que je voudrais éviter? Suis-je inquiet, en colère, débordé sans oser le dire? Suis-je dans une impasse dont je ne vois pas comment me sortir? La maladie réglerait tout cela si je l'invitais à entrer, mais à quel prix?

Je suis libre de me soustraire à ce que je ne veux pas faire, de dire mon angoisse, de me reposer, sans le prétexte de la maladie.

Quand je serai grand

Et j'ai bien dit guérison. Voilà une autre caractéristique qui distingue le cancer chez l'enfant de celui chez l'adulte. Les chances de guérison sont plus nombreuses. (Dr Jocelyn Demers)

Malgré que le cancer évolue chez l'enfant plus rapidement que chez l'adulte, le taux de survie des enfants atteints de cancer a considérablement augmenté ces dernières années, au point que la cancérologie chez les enfants a servi de modèle à celle des adultes.

La cancérologie pour adultes ne devrait pas s'inspirer uniquement des protocoles de traitements pour les enfants, mais aussi de l'atmosphère qui baigne les départements d'oncologie pédiatrique.

L'espoir y est d'une densité palpable. Les enfants eux-mêmes la transfusent à l'entourage. Lorsque parents et soignants entendent les petits Charles Bruneau affirmer : « Quand je serai grand, je serai guéri », leur ardeur et leur espoir en sont décuplés.

Du côté des adultes, on pense plutôt que : « Plus on vieillit [...] moins le cancer prend – ou devrait prendre – un aspect tragique, car il faut bien mourir un jour. » (Dr Jocelyn Demers)

Il faut bien mourir un jour, d'accord, mais pourquoi du cancer ? Si on avait le même sentiment d'urgence pour les adultes que pour les enfants, le taux de survie grimperait probablement de façon aussi spectaculaire chez les grands que chez les petits.

À partir d'aujourd'hui, j'ai aussi mon leitmotiv d'espoir : Guérir d'abord, mourir bien plus tard, de ma « belle » mort.

La maladie comme bouche-trou

Quel est ce tyran interne auquel le sujet se soumet avec délectation d'abord, avec horreur ensuite, avec une morne indifférence enfin ? Quel est-il, sinon celui d'une absence érigée en un être, qui régit l'existence tout entière du sujet. (Jacques Hassoun)

On ressent parfois au centre de soi une sorte de béance, de vide, de faille tellement insupportable qu'il faut la combler à tout prix pour survivre. On cherche à colmater cette brèche d'absence par n'importe quel substitut de présence. Certains la remplissent par l'alcool, la drogue, le travail, d'autres par la maladie.

Devant le vide, le cancer se porte aisément volontaire : c'est un bouche-trou particulièrement zélé. Les cellules s'y multiplient allégrement et occupent rapidement l'espace désert. Plus la faille est grande, plus elles se répandent. La masse qui gonfle procure enfin le sentiment de plénitude, de gravidité tant recherché. Le cancer, c'est une grossesse morbide, un *Rosemary's Baby*.

Comme Mia Farrow dans le film, on sent croître en soi un fœtus de mort. Il n'est jamais seul, heureusement. Il a toujours son jumeau, fœtus de vie celui-là. Deux frères ennemis, deux frères siamois lovés dans notre ventre s'y livrent un corps à corps féroce. *Mors tua, vita mea*. Il faut que l'un des deux meure pour que l'autre vive. Il faut mener cette grossesse à terme pour que le fœtus sain gagne et vive.

J'évacue la maladie. Dorénavant, je colmate la faille en moi avec du vivant. Quel projet me tient à cœur aujourd'hui ?

L'auréole de martyre

Et le cancer qui lentement commence à poindre, pour se révéler un jour en manifestations aussi douloureuses qu'imprévues, fait de l'être qui en souffre un véritable martyre. (Denise Morel)

Ô le danger de l'auréole du cancer ! Elle permet d'émouvoir, de culpabiliser, de terroriser, de manipuler. C'est une arme d'une puissance inouïe qui a raison de tous, même des policiers, comme j'ai pu le vérifier à ma grande honte d'ailleurs.

Je revenais de la bibliothèque avec une pile de bouquins sur les antiquités. Une fois guérie, je voulais devenir antiquaire et devais dès maintenant parfaire mes connaissances, comme me l'avait conseillé mon mentor. Pour gagner du temps, j'ai emprunté une ruelle au bout de laquelle m'attendait un policier. J'ai eu beau lui dire, pour éviter la contravention, que je n'avais pas d'emploi, pas d'argent et que c'est pour m'en créer un que j'étais allée chercher tous ces livres que je pointais sur le siège à côté de moi, il est resté intraitable. Le voyant commencer à écrire sur son calepin, j'ai ajouté : « Et j'ai le cancer... » Du coup, la face lui est tombée et le stylo aussi.

Avec cette maladie, on détient un pouvoir de manipulation presque illimité. En brandir l'auréole est un moyen assuré d'obtenir la compassion qu'on n'a pas reçue autrement, de se venger des bien portants, qui se sentent alors coupables de l'être.

Je renonce aux bénéfices du martyre. J'envoie mon auréole à la récupération. Je vais me gagner d'autres palmes.

Renaître de ses cendres

Faites dès aujourd'hui le bilan clair et sincère de votre vie, décidez d'après votre passé ce que doit être votre avenir, mais décidez de vivre d'une manière généreuse ; tout le monde y gagnera ; les autres et vous-même. (Aristide Quillet)

La tumeur maligne m'a rappelé Job : « ... il frappa Job d'un ulcère malin de la plante du pied au sommet de la tête. Alors Job prit un tesson pour se gratter et il était assis au milieu de la cendre. »

Le sort de Job me hantait depuis toujours. Je craignais d'en hériter un jour. Et voilà que j'y étais. La fin de son histoire me paraissait particulièrement agaçante : « Puis Yahveh ramena Job en son état, parce qu'il intercédait pour son prochain. »

Intercéder pour son prochain alors qu'on est atteint d'une maladie mortelle ? Pas question. Si la guérison était au prix d'intercéder pour les autres plutôt que de penser enfin à moi, tant pis, je n'en voulais pas.

La souffrance nous renferme quelquefois dans notre coquille par besoin de protection mais aussi par colère, comme si elle nous conférait des droits acquis et nous autorisait à exiger réparation.

On ne peut guérir en se murant dans sa coquille d'offensé. Il faut reconnaître ses ulcères et les gratter, cela permet de les dépasser. Il faut aussi reconnaître la même souffrance chez son prochain et ainsi mieux comprendre celle qu'il a pu nous infliger. Alors, comme Job, on peut intercéder pour lui et guérir.

En intercédant pour mon prochain, je ne perds pas au change. Au contraire, nous y gagnons tous : les autres et moi-même.

Comme si de rien n'était

Dans le silence et la solitude, on n'entend plus que l'essentiel. (Camille Belguise)

Certains considèrent comme un exploit, une preuve de courage, de ne rien changer à leur vie, de poursuivre toutes leurs activités en dépit de la maladie. La vie *must go on* comme si de rien n'était... Cela peut être réellement du courage et la meilleure façon pour certains de faire face. Cela peut aussi être une façon de s'étourdir, d'occulter l'horreur alors qu'un temps d'arrêt pourrait permettre de s'interroger, de rectifier la trajectoire d'une vie déréglée.

Qu'y a-t-il dans cette agitation, cette course effrénée ? Le besoin de prouver quoi à qui ? Le sentiment de ne pas valoir grand-chose oblige à se démener pour prouver le contraire à ses parents, à ses enfants, à ses collègues, mais surtout à soi. La maladie fait le plus souvent écho à une dysharmonie profonde entre ce qu'on est et ce qu'on fait. On ne réduit pas cette dissonance dans la fureur du bruit et de l'agitation, mais dans le silence et la réflexion.

Pourquoi ne pas saisir l'occasion que me donne la maladie de prendre un temps d'arrêt en toute bonne conscience ? Pourquoi ne pas prendre une retraite temporaire de la *rat race* pour retrouver l'essentiel ?

Je veux retourner à mon noyau dur. Je vais me décortiquer tranquillement dans le silence jusqu'à ce que je le retrouve.

« ... seul, comme l'enfant est seul »

Une seule chose est nécessaire : la solitude. La grande solitude intérieure. Aller en soi-même et ne rencontrer pendant des heures personne, c'est à cela qu'il faut parvenir. Être seul, comme l'enfant est seul...
(Rainer Maria Rilke)

Il n'est pas toujours aisé d'apprivoiser la solitude. Cela implique de tolérer sa propre présence sans déprimer ni paniquer, sans se haïr ni haïr sa vie. Comme l'enfant qui joue paisiblement avec ses blocs, seul, serein, confiant que le monde existe ailleurs, que sa mère reviendra.

Pour y parvenir, « Choisissez la bonne solitude, nous dit Nietzsche, la libre solitude, enjouée et légère », pas la solitude amère et noire, mais une solitude oxygénante. Celle qui permet de se ressourcer et de se restaurer.

Dans la solitude, on peut changer sa vision du monde et de soi. On peut retrouver la quiétude de l'enfant confiant ou, si on ne l'a jamais connue, se l'inventer, se l'approprier et en jouir.

Guérir, c'est aussi cela : retrouver son âme d'enfant, celle d'avant la méfiance, la déception et le cynisme. C'est recommencer à se poser des milliers de pourquoi, retrouver l'œil rond de l'émerveillement, la bouche bée de l'ébahissement. Guérir, c'est redevenir innocent sans en avoir honte.

Je fais du baby-sitting auprès d'un enfant qui n'a pas appris à jouer seul et qui s'ennuie. Je lui apprends à s'occuper, à s'amuser.

Jonas dans sa baleine

Il se faut réserver une arrière-boutique toute nôtre, toute franche, en laquelle nous établissons notre vraie liberté et principale retraite et solitude. (Michel Montaigne)

Pour retirer tous les avantages de la solitude, chacun devrait avoir un petit coin où se réfugier en silence. Montaigne avait sa tour d'ivoire où il se retirait pour réfléchir et écrire. Tous ne possèdent pas, comme lui, un château à tourelles, mais tous devraient avoir au moins une minuscule arrière-boutique pour faire comme lui.

Lorsqu'on se sent dispersé, écartelé, confus, lorsqu'on a le sentiment de ne plus s'appartenir, la solitude aide à reprendre possession de soi. Nous avons tous besoin d'un refuge où faire le point et trouver le cap comme Jonas l'a fait dans sa baleine. Gaston Bachelard parle de cette « image conteuse » comme du « rêve de vivre vraiment « chez soi », « au centre de son propre être », « dans son propre ventre ».

Seul, on retrouve la liberté d'être vraiment soi-même et le courage de le demeurer une fois de retour parmi les autres, sur le rivage. Une pièce, un recoin de pièce, un temple peuvent nous servir de tour ou de ventre de baleine, pour à notre tour y établir notre « vraie liberté, retraite et solitude ». Je m'y réfugie le temps qu'il faut pour m'appartenir à nouveau.

Je descends dans mon propre ventre pour pouvoir ensuite revenir sur la rive, vers les autres, en possession de moi.

À la recherche du noyau perdu

Se trouver, c'est cela la mystique. (Eugen Drewermann)

Malade, on se sent comme une poupée russe qui aurait perdu la petite poupée pleine du centre, ce petit noyau dur au cœur de la *matriochka.* Pour retrouver la santé, il faut retrouver ce noyau égaré.

Se trouver serait la mystique, selon le théologien Drewermann. Cela explique peut-être pourquoi on ressent un besoin de silence et de recueillement en entreprenant une démarche de guérison. Qu'on l'appelle méditation, réflexion, relaxation, oraison, peu importe, on cherche la formule qui nous convient pour se recentrer, pour retrouver l'essentiel en soi.

En se rapprochant de son noyau, on devient capable de discriminer, d'établir ses priorités, de découvrir sa vérité à soi. Contrairement à ce qu'on pourrait craindre, cette plongée au cœur de soi ne nous coupe pas des autres mais nous en rapproche. Un aller centripète à l'intérieur de soi garantit presque automatiquement un retour centrifuge qui permet de réintégrer le monde par la suite.

Pour effectuer cette plongée intérieure, point n'est besoin de s'embrigader dans des voyages organisés vers la transcendance, destination garantie. Cette quête se fait en tâtonnant, dans la solitude, le silence et la pénombre de sa chambre.

Je m'accorde chaque jour une période de contemplation pour retrouver le sens, l'essence, le goût d'amande de ma vie.

Shakespeare, j'expire!

S'il est un défi à relever aujourd'hui, c'est effectivement celui de se vouloir un moi, c'est-à-dire un génie, dans la mesure où être génial c'est tout simplement – mais que de patience, de ruse, d'attention et de travail il faut pour parvenir à cette simplicité – être soi-même. (Roland Jaccard)

Rien de pire pour mener au désespoir qu'une vie vouée à la recherche du génie perdu. Ayant compris, dans l'enfance, qu'on n'en attendait pas moins de nous, nous tentons de livrer la marchandise.

On se retrouve vite comme un rat pris de panique dans son labyrinthe, cherchant en vain la sortie qui mènerait au génie. On enfile un couloir pour constater qu'on n'y est pas du tout. On rebrousse chemin, et enfile un autre couloir, où on constate la même absence de génie. On re-rebrousse chemin, se frappe le museau sur les parois et se retrouve tuméfié, humilié, désespéré.

Puis on ne fait plus rien. *Aut Caesar, aut nihil*, empereur ou rien. Si on n'est pas Van Gogh, pas la peine de peindre. Si on n'est pas Shakespeare, pas la peine d'écrire. Je Shakespeare ou j'expire... *that is the question...*

Guérir, c'est cesser cette chasse infernale, tenter de n'être/naître que soi-même enfin. Libre de maladie, surtout de cette « maladie d'Idéalité » dont parle Janine Chasseguet-Smirgel et qui nous pousse à la quête futile des médailles en chocolat.

Je cherche la satisfaction et le plaisir dans les petites trouvailles de mon spécifique à moi. Dans mes bribes de génie personnel.

Procrastiner

Je ne sais pourquoi j'en suis encore
À me dire : voici ce qu'il faut faire,
Quand tout, motifs et volonté, force et moyens,
Me pousse à l'accomplir... (Shakespeare, *Hamlet*)

Dans un scrabble de mots détestables deux mots pourraient remporter la palme : « procrastinateur » et « velléitaire ». Il y a de la peur crasse dans « procrastiner » et du ver de terre dans « velléitaire ». Ces mots réfèrent à des états de malaise, de volonté handicapée, de désir tordu, d'action bloquée. Ils parlent du grand parleur et petit faiseur que nous nous fustigeons d'être, déçus de nous-mêmes face à nos intentions fugitives, honteux face à ceux que nous aimons de nos promesses sans suite.

Procrastiner, c'est remettre au lendemain. *Cras* étant le mot latin pour « demain », dont c'est d'ailleurs la seule trace en français. Ce n'est malheureusement pas la seule trace dans notre vie. Combien de fois ne nous lamentons-nous pas : « Pourquoi, mais pourquoi est-ce que je ne fais pas ce que je dis vouloir faire ? »

Des motifs obscurs nous font procrastiner : un mélange de doute, de honte et de culpabilité dont il est malaisé de dénouer tous les fils. On peut s'exercer à devenir faiseur en commençant par de toutes petites choses : un appel, un mot, un geste qu'on reporte depuis longtemps. Suivre ce précieux conseil que j'ai reçu un jour d'hésitation : « Malgré le doute, *do.* »

Aujourd'hui, j'écris cette lettre, je fais cette promenade, je sors mes pinceaux. Pas demain. Plus de « cras ».

Haine... de soi

Si quelqu'un fait preuve de cruauté envers lui-même, comment pourrait-on s'attendre à ce qu'il témoigne de la compassion envers les autres ? (Hasdai, Ben ha-Meledh, ve-Ha-Nazer)

Haine de soi, désespoir et cancer forment une chaîne tricotée serré. Dans *Compassion and Self-Hate*, Theodore I. Rubin, médecin et psychanalyste, considère que la haine de soi est un agent destructeur d'une puissance inouïe qui engendre un désespoir directement proportionnel à l'énergie qu'on consacre à se haïr. Pour guérir de cette diade infernale, il propose la compassion.

On a tendance à considérer la compassion d'un œil condescendant comme si elle était de la même famille que la pitié alors qu'elle est plutôt cousine de la sympathie, bien que toutes deux réfèrent à la capacité de « souffrir avec ».

Lorsqu'on réussit à éprouver de la compassion envers soi-même, à sympathiser avec sa propre souffrance, on cesse de se haïr. On abandonne l'intransigeance, la cruauté, l'intolérance dont on a fait preuve envers soi-même jusque-là, pour se traiter avec indulgence et bienveillance. La compassion est loin d'être une vertu mineure. Elle est majeure, cardinale, fondamentale, d'un pouvoir thérapeutique infini et, surtout, extrêmement et heureusement contagieuse. Plus je sais « me compassionner » pour moi-même, comme on le disait au XVIe siècle, plus je le fais pour les autres. Et vice-versa.

Aujourd'hui, je me dis enfin : « Va, je ne te hais point. »

Les vautours

Il est clair que les forces qui l'entraînaient vers la mort étaient présentes en elle bien avant son cancer; le cancer n'était que le point culminant d'une longue chaîne de conflits intérieurs. (Dennis T. Jaffe)

La mort terrorise certains alors qu'elle en excite d'autres. Ainsi, il y a ceux que l'annonce de notre maladie fait fuir comme des hirondelles effarouchées, des amis très chers qui tout à coup se volatilisent, incapables de supporter la tension et l'incertitude à cette croisée de chemins.

Et il y a ceux qu'elle attire comme des vautours. Ces « amis » curieux de savoir si les médecins nous ont « condamné », impatients de connaître la suite. Ces embaumeurs qui, par un curieux hasard, téléphonent la semaine même du diagnostic pour nous faire une « proposition » funéraire qu'on ne saurait refuser.

Mais c'est surtout en soi qu'on découvre l'étrange cohabitation de la fascination et de la terreur de la mort, en soi qu'il faut démêler la chaîne de conflits qui nous tirait auparavant vers la mort.

Apprivoiser la mort tout en la reportant à plus tard exige un travail ardu. Il vaut mieux choisir, pour nous accompagner durant cette démarche, un petit nombre de personnes capables de nous épauler dans notre décision de guérir, et ne pas nous émouvoir outre mesure de ceux que la mort fait fuir ou saliver : ils ne font somme toute que refléter l'ambivalence de nos propres sentiments.

Plus j'affermis mon choix de vivre et de guérir, moins je suis ébranlée par les réactions de mon entourage.

Ne me quitte pas

Je ne vais plus pleurer...
Je me cacherai là
À te regarder
Danser et sourire...
Ne me quitte pas (Jacques Brel)

Un an avant le cancer, une femme très triste m'avait dit en rêve : « Je m'en vais. » Elle n'en pouvait plus d'attendre que je l'aime. Ce n'est qu'au moment où elle allait me quitter que je comprenais enfin que je l'aimais. J'ai tenté de la retenir, mais l'ai sentie m'échapper, me glisser entre les doigts. Plus tard, je la retrouvais malade et alitée. En me penchant pour lui donner un baiser d'adieu, j'ai vu nos corps, s'effleurant à peine, se refléter comme en miroir et former l'image d'un papillon ou d'un ange. Je ne voulais pas que cette femme meure.

L'année suivante, malade et alitée, je me suis rappelée ce rêve. Cette femme qui avait attendu si longtemps que je l'aime, c'était moi bien sûr. Et ce n'est qu'au moment où elles allaient m'échapper que je voulais retenir la femme et la vie que je n'étais pas parvenue à aimer jusque-là.

Mon corps était las d'attendre que je l'aime. Aujourd'hui, je l'apprécie, lui offre « des perles de pluie venues de pays où il ne pleut pas », pour qu'il ne me quitte pas.

Culbute à Newport

Toute ma vie j'ai rêvé d'être une hôtesse de l'air
Toute ma vie j'ai rêvé de voir le bas d'en haut
Toute ma vie j'ai rêvé d'avoir des talons hauts
Toute ma vie j'ai rêvé d'avoir les fesses en l'air (Jacques Dutronc)

Depuis mon enfance, je rêvais de pouvoir me retourner de bord en bord, comme une mitaine. Dans mon patelin des Cantons-de-l'Est, on appelait « mitaines » ceux qui avaient changé leur capot de bord et troqué la messe catholique pour les *meetings* protestants. Je rêvais de faire, moi aussi, une mitaine de moi-même : de changer de cap à 180°, d'effectuer un demi-tour radical. Je savais que je vivais complètement à l'envers, que je roulais dans le mauvais sens, tout en me sentant incapable d'effectuer le virage voulu.

Quelque temps avant la maladie, j'ai rêvé que je faisais une grande culbute à Newport, au Vermont, le lieu de naissance de mon père et celui de mes meilleurs souvenirs d'enfance. Après la culbute, je retombais solide sur mes pieds. Je devais toutefois payer une contravention de 1,69 $ (tête-bêche !) pour avoir flâné trop longtemps dans la ville. Je l'ai acquittée sans sourciller, considérant que ce n'était pas trop cher pour le plaisir que j'avais éprouvé à Newport.

Le cancer m'a permis de faire le tête-à-queue souhaité depuis si longtemps. Ce n'était pas si cher pour enfin réembrayer ma vie dans le bon sens et connaître le bien-être d'un *new port*.

Quelle culbute fondamentale dois-je effectuer dans ma vie pour guérir ? Le front par terre, les fesses en l'air, et hop !

Scrap-book

Mais qu'est-ce qu'une vie si on ne se la raconte pas? (J.-B. Pontalis)

Quelquefois, on cherche les mots pour se dire, mais ils nous échappent. Ce que l'on ressent est en deçà ou au-delà des mots. Une image, par contre, peut nous aider à retrouver et identifier une émotion enfouie. Il faut saisir ce que Gaston Bachelard nomme, dans *La Terre et les Rêveries du repos*, ces « images conteuses », les dessiner ou les découper, et les conserver précieusement dans son *scrap-book.* Elles peuvent nous aider à reconstituer le puzzle de notre vie. Rien de mieux qu'une BD, genre *Mon cancer illustré*, pour nous aider à y voir plus clair.

La photo des dégâts d'une tornade, d'un enfant famélique, d'un animal piégé peut nous aider à reconnaître notre propre chaos, notre privation, notre enfermement. Par ailleurs, un chevreuil bondissant, une vieille femme indigne, un oisillon craquelant sa coquille peuvent renforcer notre élan de vie et de renouveau.

Ces images nous aident à reconnaître le scénario de notre histoire, à en modifier le cours. Une coupure de presse, une caricature, une citation peuvent préciser, compléter le récit. Voir sa vie en images aide à trouver par la suite les mots, aide à visualiser la suite.

Aujourd'hui, je commence mon **scrap-book.** ***J'y colle toutes les images qui me parlent et qui parlent de moi. J'ai besoin de me raconter ma vie pour la comprendre.***

Mythes et mites

Jung peut jeter son cri d'alarme ! Il est, me semble-t-il, de la plus grande urgence de redonner au conte, à la légende, au mythe, au rituel, leur place dans notre vie, de les laisser nous informer. C'est là le chemin de la Connaissance. (Annick de Souzenelle)

L'histoire de *La Petite Fille de neige* que j'ai lue, enfant, dans ma précieuse *Encyclopédie de la Jeunesse* a imprimé une trace indélébile en moi. Elle racontait qu'un couple sans enfant s'était fabriqué, avec de la neige, une petite fille qui avait pris vie et s'était mise à leur parler. Elle devait toutefois se tenir éloignée de la chaleur sous peine de mourir, fondue. Un jour, elle se laissa entraîner par ses amis autour d'un feu, « mais lorsqu'elle voulut sauter comme eux par-dessus les flammes, elle disparut soudain et dans la main des deux petits garçons qui la tenaient de chaque côté, il ne resta qu'une goutte d'eau ».

J'ai grandi avec la crainte qu'un bon matin il ne reste de moi, sur le parquet, qu'une petite flaque d'eau dont personne ne saurait d'où elle venait. Il arrive que les mythes fassent office de mites.

Ce que les mythes ont contribué à détruire, ils peuvent aussi bien le restaurer. Le mythe de la petite fille de neige peut faire place à un autre, plus chaud et vivifiant. Les sources de chaleur qu'il fallait éviter pour satisfaire aux anciens mythes peuvent devenir celles dont on se rapproche pour guérir.

L'imaginaire qui a alimenté mon cancer peut aussi le pulvériser. J'interroge mes mythes. Grâce à eux, je comprends mieux.

Le Corps-Mort

À 7 ½ milles à l'ouest de l'île du Havre Aubert, il y a une petite île qu'on nomme Le Corps-Mort qui par sa configuration ressemble à une forme humaine couchée. (Frédéric Landry)

Dès que je l'ai aperçu, Le Corps-Mort m'a envoûtée, sans que je comprenne pourquoi. Trois mois avant le cancer, je m'étais rendue aux îles de la Madeleine, en solitaire, pour tâter de la robinsonnade à mon tour. Pour tenter de me retrouver.

Je pouvais demeurer des heures assise sur la Dune de l'Ouest, hypnotisée par ce gisant rose qui flottait, immobile et impassible, à l'horizon. Il m'attirait comme un aimant. J'aurais voulu l'explorer de fond en comble, découvrir le mystère qui en émanait.

Revenue sur le continent et avertie de la gravité de mon état, j'ai compris pourquoi cet îlot rocheux m'avait tellement fascinée. « Le cancer c'est, à l'intérieur du corps, la naissance d'un îlot n'obéissant plus à l'ensemble », déclare le Pr J.-P. Escande. Là-bas, je ne ressentais aucun symptôme de maladie, mais mon corps, lui, avait su reconnaître sa parenté avec l'îlot au large. Durant mes heures de guet, j'avais, sans le savoir, veillé deux Corps-Morts.

Mes amis m'ont par la suite expédié une photo du Corps-Mort prise de leur bateau de pêche. Je l'ai utilisée pour visualiser ma guérison. J'irais, l'été suivant, voir de plus près les phoques qui y dansaient autour du rocher. Et pour cela, il me fallait guérir.

Le Corps-Mort, c'est pour plus tard. Aujourd'hui, je m'ébroue et batifole dans la mer avec les phoques.

Après Mars, Avril

Comme on sait, Mars est le dieu de la guerre, de l'agression et de la force créatrice (que la guerre est à l'origine de toutes choses, le fait est connu depuis des siècles). (Fritz Zorn)

Octobre 1980, je lisais *Mars* au chevet de ma sœur atteinte de cancer. Dans ce livre que Zorn a écrit avant de mourir de cette maladie à 32 ans, il décrit sa mort « comme une explosion de désespoir ». Je craignais d'en exploser un jour à mon tour.

Octobre 1989, je relisais *Mars* en attendant la confirmation de mon propre diagnostic. Je tenais le livre à la main au moment où j'ai reçu l'appel du médecin. En apprenant le stade avancé de ma maladie, j'ai senti une résolution surgir en moi comme un éclair : « Je ne veux pas de Mars pour moi. Ce sera Avril ! » Je voulais absolument tourner une page de plus sur le calendrier de cette aventure.

Mars est dédié au dieu de la guerre et Avril à Aphrodite, la déesse de l'amour. Pourquoi pas le vieux slogan de 68, « l'amour et non la guerre », pour guérir du cancer ? La perspective était intéressante.

Zorn a revendiqué sa haine jusqu'à la fin : « Je suis démoli mais je ne pactise pas avec ceux qui m'ont démoli. Jusqu'à la dernière parcelle de mon moi esquinté par la souffrance et le tourment, dévoré par le cancer, qui meurt à présent – mais en protestant. »

Protester épuise, pardonner apaise. La guerre démolit, l'amnistie reconstruit. Mars tue, Avril ressuscite.

La rage muette

Le chien atteint n'est pas irritable, il mord rarement et semble au contraire dans une dépression extrême. La paralysie de la mâchoire inférieure, du larynx et du pharynx fait en sorte que la bête garde la gueule ouverte et la langue pendante. Elle ne peut ni aboyer ni avaler. La rage est muette chez 75 % des chiens et 25 % des chats. (Dr François Lubrina)

Se pourrait-il que la rage soit muette chez 99 % des humains atteints de cancer ? Une rage enfouie est un état préalable éminemment favorable au cancer. Une rage souterraine muselée gronde comme un volcan qui se retient d'exploser. On devient l'équivalent d'un Etna dans une momie. Lorsque l'explosion tarde trop, la lave brûlante implose. C'est la catastrophe interne.

Que faire de sa rage muette, de sa mâchoire paralysée, gueule ouverte et langue pendante ? Il n'y a pas de vaccin disponible, là s'arrête l'analogie vétérinaire. En revanche, un substitut du vaccin demeure encore la parole. Dire et dire toujours. Faire sauter la muselière. Seule l'éruption de mots permettra la vidange des scories brûlantes.

L'opération peut s'avérer douloureuse, parce qu'elle va raviver un feu enfoui au plus profond de nos entrailles. Elle peut aussi présenter du danger pour les zones périphériques, aussi faut-il l'entourer de précautions. Comme on entoure d'un périmètre de sécurité l'édifice à dynamiter, de même vaut-il mieux chercher un cadre approprié pour limiter les retombées possibles sur l'entourage. Un cabinet de thérapeute aux murs bien capitonnés, par exemple.

Tue, ma rage me tue. Je la désamorce avec l'aide d'experts.

Narcisse magané

Mes yeux baissés tombèrent sur la claire fontaine et en m'y voyant, je les reportai sur l'herbe, tant, de honte, se chargea mon front. (Dante)

Narcissisme et cancer auront tous deux marqué le siècle qui s'achève. Les deux sont des monstres à plusieurs têtes. Les deux sont difficiles à cerner et à soigner. Les deux sont parfois reliés.

Du narcissique, on retient le plus souvent la version de l'être tellement amoureux de sa propre image qu'il s'y noie à force de s'y contempler. C'est celle de l'amoureux ébloui. Il y a aussi celle de l'amoureux éconduit, douloureux. Celui-ci est rempli de honte à la vue de son image. Il correspond davantage à une version moins connue de la légende, selon laquelle Narcisse avait une sœur qui lui ressemblait et qu'il adorait. Elle mourut et Narcisse, pour ne pas perdre le souvenir de son image, se contemplait jour et nuit dans une fontaine. Il mourut non pas noyé, mais de « consomption », c'est-à-dire de dépérissement progressif.

Les Narcisses éplorés sont plus susceptibles de dépérir du cancer. Ils pleurent un reflet réconfortant d'eux-mêmes jamais vu ni connu. Ils ont plutôt souvenir d'un œil déçu posé sur eux. Depuis, ils se scrutent avec insistance pour tenter de se convaincre qu'ils sont vivants. Françoise Dolto croit que le narcissisme sain est « quelque chose comme la force vitale de Dieu en nous, qui ne peut se nier ». Il faut récupérer cette force vitale pour guérir.

Je me regarde dans la claire fontaine. Sans honte. Fièrement.

De reculons

Tout cela me permettait en même temps de m'utiliser astucieusement pour filer à reculons dans la bonne direction : devenir un écrivain, ce que je ne voulais devenir à aucun prix, car c'était là mon plus cher désir. (Émile Ajar, *Pseudo*)

Le crabe file à reculons et le cancer lui doit son nom. Pierre Dionis, chirurgien du XVIIe siècle, disait du cancer que « ce mal [...] paroi aller à reculons comme les écrevices ont coutume de le faire » (Pierre Darmon, *Les Cellules folles*).

Avant d'avoir le crabe-cancer, j'avançais à reculons dans ma vie. J'avais le sentiment diffus de la direction que j'aurais voulu prendre mais, comme sous l'emprise d'une force maligne, je lui tournais le dos. En rêve, je me suis vue sur une charrette traînée par des chevaux partis à la fine épouvante. Je tirais désespérément sur les guides pour freiner les bêtes, en vain car les courroies n'étaient même pas reliées aux chevaux : je leur tournais le dos. Elles traînaient plutôt un poids mort à l'arrière de la charrette. Épuisée, j'aurais voulu lâcher les guides mais ne le pouvais pas. La maladie m'a obligée à le faire.

Une fois délestée de ce poids mort que je traînais derrière, allégée et soulagée, j'ai pu affronter « mon plus cher désir ». « Ne pas écrire, ajoute Ajar, par principe et dignité, par objection de conscience, il n'y a pas plus livresque et plus bêlant-lyrique, comme mode d'expression et acte de foi. » J'ai cessé de faire pseudo.

Je filais, sans le savoir, vers mon désir. À reculons, à la manière oblique du crabe. Aujourd'hui, je m'y dirige de front.

« Faut pas qu'il meure »

J'ai pris mon p'tit bonheur
J'l'ai mis sous mes haillons
J'ai dit « Faut pas qu'il meure
Viens-t'en dans ma maison » (Félix Leclerc)

La crainte d'être égoïste nous empêche souvent de travailler à notre propre bonheur. On nous a fait croire que penser à soi était égoïste alors que, ce qui l'est, c'est de ne penser qu'à soi sans se soucier des autres.

Pour ne pas commettre cette huitième horreur du monde, ce huitième péché mortel qu'est l'égoïsme, on chicane son plaisir, on maltraite son bonheur, jusqu'à ce qu'on le découvre un beau matin, en pleurs sur les bords du fossé, gémissant comme celui de Félix : « Je suis tombé, je suis malade, si vous ne me cueillez point, je vais mourir, quelle ballade ».

Pour ne pas mourir, il faut être prêt à assumer un sain/saint égoïsme, à découvrir ce qui est bon pour soi et se débrouiller pour se l'accorder. Curieusement, ce n'est qu'après avoir appris à se traiter avec bienveillance qu'on peut traiter les autres de même. Il y avait beaucoup de sagesse dans ce « Charité bien ordonnée commence par soi-même », dommage qu'on nous l'ait si mal enseigné.

Maintenant que mes propres erreurs me l'ont fait mieux comprendre, je puis pratiquer une charité mieux ordonnée.

Je recueille mon bonheur dans ma maison. Je m'engage à veiller sur lui et à faire sa guérison.

Et si elles se réveillaient...

Ainsi le vécu oscille de la négation totale du risque de rechute au sentiment d'une vie perpétuellement menacée par une épée de Damoclès. (Serge Bonfils)

Une tumeur cancéreuse compte des milliards de cellules débridées. Une fois la tumeur disparue, il n'en reste plus de traces visibles sur les clichés, mais il peut toujours rester quelques cellules rebelles tapies dans le recoin d'un tissu. C'est le réveil possible de ces petites obstinées qui empêche les médecins de parler de guérison, et qui nous empêche parfois de dormir tranquille.

Une fois guéri du cancer, est-il possible de vivre sans nier la possibilité d'une récidive, mais sans vivre non plus sous terreur constante ? Oui, en se rappelant que tous les humains sont aussi « en rémission ». Tous les jours, des cellules normales se transforment en cellules cancéreuses dans l'organisme, mais le système immunitaire veille et les détruit aussitôt. Ce n'est que de façon exceptionnelle qu'elles croissent de manière désordonnée et se mettent à saboter leur hôte. Ce phénomène demeure toujours un mystère à élucider.

Lorsque ce mystère s'est produit en moi, je sentais bien que mon système avait laissé tomber sa garde. Pour me permettre de guérir, il a repris sa tâche et, dorénavant, je ne suis ni plus ni moins susceptible que ceux qui ne l'ont jamais eue, de développer de nouveau cette maladie.

Je fais totalement confiance à la vigilance de mon garde du corps.

La Petite Princesse pleine de poux

Et pour qu'il y ait guérison, nous devons écouter avec notre oreille intérieure – cesser de parler à tort et à travers sans arrêt, et *écouter.* (Marion Woodman)

Après quelques années de survie, on risque de s'endormir sur ses lauriers et de baisser la garde, de se laisser de nouveau envahir par les démons du passé. La quatrième année de ma guérison, je les ai sentis rôder de nouveau. J'ai alors fait un autre de ces rêves-tocsins destinés à me « réveiller ».

J'ai rêvé à une petite princesse emmaillotée de bandelettes de satin vert émeraude, comme un nouveau-né ou une momie. Elle était très jolie, vue de face, mais le derrière de sa tête était pelé, couvert de croûtes et grouillant de gros poux noirs. Personne ne s'était donné la peine d'entretenir cette enfant, de la laver. Elle devait maintenant faire un séjour à l'hôpital. J'ai compris que je devais m'occuper de cette petite et la débarrasser de ses poux, même s'ils me dégoûtaient et que je craignais d'en attraper.

Ce rêve m'a rappelé le danger d'autrefois, la face sauve mais le derrière de la tête infesté de poux, et la possibilité de retomber malade si je ne rajustais pas ma voie. Le premier de mes rêves-tocsins parlait de champignons, celui-ci de poux. Parasites tous deux. Mon corps m'avertissait : « Attention. Danger. »

Je reprends ma visualisation si je l'ai négligée. Je tends mon oreille intérieure. J'écoute les messages de mon ventre, de mes rêves.

Malade de sa guérison

L'on s'explique donc que certains malades, qui vivent de leur maladie, soient désaxés (d'une autre manière) par leur guérison... ***et en fassent une maladie*** **– une autre bien entendu. (Jacques Sarano)**

La vie après la guérison a aussi ses avatars et nous ménage quelques surprises. Une fois la maladie en allée, il nous manque quelque chose qui prenait beaucoup de place et sans quoi il nous faut réapprendre à vivre. « Le sacrifice qu'est la guérison peut se comparer à celui de l'amputation d'un membre gangrené (mais... c'est quand même MA jambe) » nous rappelle Jean-Claude Lavie. Et c'est vrai. Le mal du membre fantôme se fait aussi sentir après la disparition de la maladie.

Apprendre à répondre que « ça va bien » demande de l'effort et de la pratique. Malade, on peut discourir longtemps sur ce qui ne va pas. Guéri, on se retrouve bouche bée devant un état qu'on n'a jamais appris à ressentir ni à décrire. Soudain, on comprend le dicton des gens heureux qui n'ont pas d'histoire. Il faut être vigilant pour ne pas développer une « autre maladie », qui remplirait le vide : de la conversation et de l'intérieur de soi.

Pour éviter de tomber malade de sa guérison, on doit accepter de se retrouver temporairement muet, désaxé. Petit à petit, on s'habitue à l'absence de drame, d'histoires. On apprécie sa petite histoire de gens heureux.

Aujourd'hui, je m'entraîne à causer de ma joie, de mon bien-être.

Le bain glacé de la liberté

La liberté n'est pas une chose dont on vous fait cadeau, on peut vivre en pays de dictature et être libre : il suffit de vivre contre la dictature. L'homme qui pense avec sa tête à lui est un homme libre. L'homme qui lutte pour ce qu'il croit juste est un homme libre. On ne va pas mendier sa liberté aux autres. La liberté, il faut la prendre. (Ignazio Silone)

Quelque temps après la chute du mur de Berlin, un jeune Berlinois qui venait de passer de l'est à l'ouest, interviewé à la télé, a qualifié de « *bain glacé de la liberté* » l'impact de la réunification du pays sur sa vie. Il était dorénavant libre de choisir son travail, son logis, sa nourriture, mais il devait se les bûcher ! Plus d'État totalitaire, mais plus d'État nourricier non plus.

Guérir, c'est réapprendre l'autonomie, la liberté et son corollaire, la responsabilité. C'est sortir de la plainte et de la dépendance au passé. C'est assumer ses choix et apprivoiser une nouvelle nage, dans l'eau glacée, une liberté terrifiante qui donne parfois la tentation de retourner aux chaînes sécurisantes.

Je n'attends plus que la direction de ma vie soit déterminée par le bon ou le mauvais vouloir des autres. C'est moi qui en suis responsable. Je ne quête plus l'approbation des autres et je n'attends plus qu'on me fasse cadeau de ma liberté. Personne ne peut penser, choisir, lutter à ma place. J'écoute mon ventre. Je fonce. J'assume.

L'eau est froide mais, en faisant des pieds et des mains, je vais à la fois apprendre à nager et me réchauffer.

Comme un sou neuf

Et si l'on vous demande votre nationalité, votre origine ethnique, votre lignage, prenez un air énigmatique et répondez : « Le Clan des Cicatrices. » (Clarissa P. Estés)

Naïvement, je croyais que la guérison de mon corps entraînerait automatiquement celle de mon âme, que la disparition de la tumeur balaierait dans la même foulée toutes les toiles d'araignée qui jusque-là m'encombraient la cervelle. Je me voyais commencer une nouvelle plage de vie comme un sou neuf, débarrassée de toutes les ternissures, de tout le vert-de-gris du passé.

J'aurais voulu qu'avec le cancer disparaisse toute trace ancienne, mais « on ne peut faire que ce qui a eu lieu n'ait pas eu lieu ». *Quod factum est infectum fieri ne quit.* On ne peut vivre sur une absence de passé. J'ai dû me réconcilier avec le mien, avec mes chagrins et mes cicatrices. Tout comme je promenais, avec émotion et reconnaissance, mon doigt sur la cicatrice en faucille qui me barre le flanc, j'ai appris à caresser aussi toutes celles de mon existence.

Je suis la somme d'essais et d'erreurs, d'amour et de haine, de succès et d'échecs d'une vie. Je ne suis pas le sou neuf et rutilant, frais sorti des presses de monnaie, que j'aurais voulu redevenir, mais plutôt une bonne vieille pièce qui a roulé sa bosse et s'est colletée à d'autres, au creux des poches. Les chocs m'ont un peu usée, mais ils m'ont aussi polie, patinée et adoucie.

Je porte mes balafres fièrement. Ce qui a eu lieu a eu lieu, m'a coûté cher et m'est devenu cher.

Le complexe de Popeye

Ainsi l'homme guéri va-t-il rester marqué, durant un temps plus ou moins long, par cette double trace signifiant aussi la résurrection : il a dérobé un fragment de vie ascendant, puisqu'en guérissant il a fait remonter la pente de l'inéluctable dégradation qu'apporte la course régulière du temps ; il a purifié son esprit, détruit le rongeur qui entravait encore récemment le cours de ses pensées. (Serge Bonfils)

Guérir d'une maladie mortelle comporte ses pièges. Après avoir réussi un tel exploit, on risque de se croire tout-puissant : « Si j'ai pu vaincre ce monstre invincible, rien ne m'est impossible. Je suis bionique. C'est moi Popeye le vrai marin. »

Popeye roulait du biceps et jouait au matamore après avoir mangé des épinards. Le fait d'avoir renversé l'irréversible, d'avoir « dérobé un fragment de vie ascendant » peut nous inciter à l'imiter et à ne vouloir porter désormais que de grands coups.

Il faut se méfier du chant de sirène de la toute-puissance. Heureusement, le plaisir de la résurrection nous a réappris la fierté, la confiance et le sentiment de notre propre pouvoir, ce qui rend ainsi moins impérieux notre besoin d'éblouir. L'esprit désormais débarrassé de ses rongeurs, le corps assaini, on n'a plus à se prétendre ni bon à rien ni capable de tout. Juste à être vrai.

Je desserre les poings. Fini l'ère du fier-à-bras. Je convertis le ring de boxe de ma vie antérieure en aire de jeux et de fantaisies.

Aujourd'hui, je me prends avec un grain de sel. Rien n'est parfait et c'est parfait comme cela.

Les blues postguérison

Cependant, il m'arrive de m'inquiéter. Est-ce donc pour aboutir à ça que j'ai vécu tout ce drame, tout ce renoncement... pour cette vie et ces travaux quotidiens et faciles, pour cette petite aisance au jour le jour ? (Elia Kazan)

La période immédiate après la déclaration de la guérison est magique. Elle ressemble à la période qui suit la naissance d'un enfant, avec son lot de bénéfices marginaux.

La guérison, comme le bébé, est accueillie par des exclamations d'étonnement, de ravissement, d'admiration. L'hôpital, les fleurs et les visiteurs. Et puis, tout d'un coup, le retour à la maison, à la solitude, à la tâche quotidienne. Les risques du bébé blues et du postguérison blues sont semblables.

Face à des défis comme l'accouchement ou la maladie mortelle, on se fait brave mais, une fois l'événement passé, l'adrénaline est moins abondante. Il est souvent plus difficile de faire face à la banalité de la vie ordinaire qu'à la période de crise extraordinaire. On est dépité : Ai-je donc guéri du cancer, gravi ce calvaire pour n'en arriver qu'à « cette petite aisance au jour le jour » ?

Notre travail de remise au monde nous fait vivre des moments d'une intensité fulgurante dont on garde la nostalgie par la suite. Le travail à poursuivre est moins spectaculaire : il reste à découvrir et à aimer sa nouvelle vie comme un nouveau-né, au jour le jour.

D'autres moments de fulgurance surgiront, mais sans que je les recherche. Aujourd'hui, j'apprécie la petite aisance du quotidien.

Les petites choses

« Me semble que quelqu'un qui passe tout près de la mort ne devrait pas retomber tout de suite dans la banalité des petites choses. »
(Cité par Pierre Foglia, *La Presse*)

Quelle déception de se rendre compte que passer à un cheveu de la mort ne nous a pas immunisé contre la banalité, que la résurrection ne nous a pas rendu transcendant.

On s'était pourtant juré, durant le face-à-face avec la mort, que l'on ne nous y prendrait plus à nous laisser distraire par des détails, des insignifiances, des enfantillages. On n'aurait dorénavant que des soucis existentiels. On saurait distinguer l'essentiel du frivole.

Voilà qu'on se retrouve de nouveau happé par des questions aussi graves qu'une coupe de cheveux ratée ou autres cheveux coupés en quatre. Sa propre bêtise humaine, dont on aurait été débarrassé en mourant, rapplique avec le retour à la vie. On n'y échappe pas. Guérir, c'est aussi en accepter l'inéluctable.

La proximité de la mort éclairait crûment les choses et facilitait la discrimination des grandes et des petites. Une fois la mort reportée, la vision perd de son acuité, tout a tendance à redevenir embrouillé. Je tente malgré tout de me souvenir de cette lumière sur les choses, de retrouver le discernement dont j'ai su faire preuve à l'époque des grands choix.

Dorénavant, je vise l'essentiel, l'important, le prioritaire, le fondamental. J'évite, autant que faire se peut, de retomber dans la mesquinerie et la banalité des petites choses.

La différence *Nice 'n Easy*

Guérir c'est donc permettre à un organisme de redevenir le même, ou, au moins, de devenir autrement le même. (Norbert Bensaïd)

J'avais cru que guérir, ce serait devenir totalement différente de ce que j'étais auparavant. Tout ce que je n'étais pas *avant*, je le serais dorénavant. Tout ce que je n'avais pas fait *avant*, je le ferais dorénavant. Je serais indépendante, autonome, forte, parfaite. Difficile de faire le deuil de la plus-que-perfection après laquelle on s'est essoufflé à courir toute sa vie.

Me voyant me morfondre de déception en me retrouvant assez semblable au moi-même d'avant la guérison, un ami m'a refilé une publicité découpée dans un magazine : « C'est vous, mais en même temps c'est mieux. C'est ça la différence Nice 'n Easy. » Je la garde comme pense-bête depuis, épinglée à mon babillard.

La guérison ne nous change pas du tout au tout. On demeure le même. Juste un peu différent, juste un peu mieux. Ce peu fait toute la différence, « *not so easy, but nice enough* ». C'est suffisant, comme Donald Winnicott disait qu'il est suffisant que la mère soit « *good enough* ». Guérir, c'est surtout cela : accepter le suffisamment bon, tolérer que rien ne soit parfait, ni soi ni les autres.

Guérir, c'est demeurer moi-même en m'améliorant juste un tout petit peu. À la longue, cela fait une grande différence, pour moi et pour la suite de la race.

RCA Victoire

– Je suis affligé d'une grande peine, tirelou
– Va-t'en à Paris ou casse des cailloux
Mais ne gâche pas ma semaine (Félix Leclerc)

La guérison ne nous enduit pas de téflon. La fragilité qui nous a mené à la maladie ne disparaît pas automatiquement avec elle. Même guéri, on demeure susceptible d'être de nouveau « affligé d'une grande peine, tirelou ».

Nous savons désormais qu'une façon de ne pas nous laisser submerger par cette peine est d'en parler. Notre entourage immédiat n'est pas toujours prêt à absorber le poids de nos peurs, de nos inquiétudes et de nos anxiétés. Ce n'est pas son rôle, d'ailleurs.

Pour épargner nos proches, pour ne pas « gâcher leur semaine », il vaut mieux se regrouper avec d'autres personnes présentant la même vulnérabilité et le même risque que nous, mais déterminées comme nous à ne plus noyer leur chagrin dans la maladie. Former avec elles un rassemblement de Rescapés du Cancer Anonymes avec qui crier : « Victoire ! » Trouver dans ce coude-à-coude la force de dépasser les difficultés, de transcender la souffrance, sans se réfugier dans la maladie par défaut d'une autre solution. Et atteindre ensemble notre objectif de récidive zéro.

Aujourd'hui, je m'associe en intention ou en action à tous ceux qui, comme moi, sont déterminés à vivre dorénavant dans l'abstinence de maladie. RCA Victoire !

Guérison infinie

Guérir, c'est pouvoir de nouveau. (Norbert Bensaïd)

La guérison est un processus difficile à expliquer, rempli de paradoxes dont celui-ci n'est pas le moindre : elle s'opère en une fraction de seconde en même temps qu'elle est un processus infini. Il y a l'instant de la culbute et celui du long périple. Le moment de grâce où l'intention est posée : « Je vais guérir », et ensuite le long parcours pour y parvenir. Celui-ci est infini. C'est la longue marche, les milliers de petits pas, en avant, en arrière, les hésitations et le doute souvent, l'euphorie parfois. C'est le travail à la petite semaine.

La quotidienneté de la guérison est moins spectaculaire que l'instant de la disparition subite de la maladie, mais elle est encore plus cruciale. C'est elle qui assure le maintien dans la santé, qui empêche la récidive.

La vie après la guérison exige une extrême vigilance pour que je ne retombe pas dans mes attitudes antérieures. L'anxiété, le stress, la grandiosité sont des mauvaises herbes vivaces. Pour me maintenir dans la guérison, je dois procéder à un désherbage constant pour semer des plates-bandes de calme, de sérénité, d'authenticité dans lesquelles me ressourcer.

Auparavant, j'étais infirme d'ambitions vides dont l'ampleur me paralysait. Aujourd'hui, je fais un petit pas vers ce que je suis réellement. Guérir, c'est pouvoir de nouveau, à ma mesure.

Aller vers son risque

Impose ta chance
serre ton bonheur
et va vers ton risque
À te regarder
ils s'habitueront (René Char)

Décider de guérir, d'être soi-même, de travailler à son propre bonheur ne se fait pas toujours sans heurts. Une démarche pour se retrouver peut signifier aussi perdre par ailleurs. L'entreprendre, c'est s'exposer à ce que certains n'aiment pas, ou aiment moins que l'autre, la personne différente qu'ils découvrent et à laquelle ils ne sont pas habitués. Cela peut entraîner des jugements, des éloignements, des ruptures.

Selon la psychanalyste Clarissa Pinkola Estés, cette personne que nous tentons de libérer en nous « doit comprendre alors qu'être soi-même peut la mettre à l'écart des autres et que se conformer aux désirs des autres peut l'éloigner de ce qu'elle est. La tension est terrible, mais il faut la supporter. Et il n'y a aucun doute sur le choix à faire ».

Il faut choisir le risque... Le risque que son nouveau moi soit moins apprécié que l'ancien. Le risque d'être abandonné ou de devoir abandonner. Le risque d'en avoir du chagrin. Le risque aussi de guérir.

Je serre mon bonheur, j'avance, j'ose. Qui m'aime s'y habituera et même l'appréciera.

La liberté du rescapé

Je puis dire que je ne commençai de vivre que quand je me regardai comme un homme mort... (Jean-Jacques Rousseau)

Avoir regardé la mort dans le blanc des yeux change son homme ! Chacune des journées du rescapé est un cadeau, un sursis dont il peut profiter à sa guise, qu'il ne cesse d'apprécier.

La vie d'outre-tombe a une saveur toute particulière : celle de la liberté. Autant, avant le face-à-face avec la mort, on se sent étriqué, peureux, autant on se sent libre et capable de risque après y avoir survécu. Comme si on n'avait plus rien à perdre, ni la face ni sa réputation. On se dit : « Si j'étais mort, mon *curriculum vitæ* se serait arrêté là. Tout ce que j'y ajouterai à l'avenir est comme une prime, absolument gratuit. Je peux désormais savourer ma vie, m'amuser à la vivre. »

Cette vie *post mortem* se transforme en vacances perpétuelles. Ce n'est pas le « jardin de roses » qu'on ne peut jamais promettre, mais un jardin dont on fait dorénavant le tour librement, comme un être qui a choisi de vivre, pas comme un mouton qu'on mène à l'abattoir.

Le face-à-face avec la mort permet de faire une volte-face radicale et, alors, comme Rousseau, de commencer de vivre.

Je sors vivant de cet accident de parcours qu'a été la maladie. Je vais dorénavant extraire la substantifique moelle de chaque parcelle de cette vie qui m'est redonnée.

Comment je voudrais être

Nombreux sont ceux qui attendent que l'écueil les soulève, que le but les franchisse pour se définir. **(René Char)**

La maladie physique exprime le chaos intérieur. On ne sait plus qui on est. On ne l'a peut-être jamais su. Comme le passage d'une tornade oblige à reconstruire, ainsi la maladie peut-elle être l'écueil qui nous oblige à nous définir.

Un petit exercice m'a été très utile comme outil de définition. On découpe dans de vieux magazines trois images de soi : comment je me vois, comment les autres me voient et comment je voudrais être. On les colle côte à côte sur un carton et on les interroge. Elles peuvent nous éclairer sur les choix à faire. Qu'est-ce qui est faux et ne me convient pas dans l'image que j'ai et que les autres ont de moi ? Que dois-je changer pour donner droit de cité à la troisième, celle que je voudrais être ?

On peut constater que l'image qu'on projette est celle d'une personne austère, tendue, rigide, alors que celle qu'on souhaiterait être, celle qu'on se sent être à l'intérieur, serait plutôt sereine, détendue, farfelue. On peut devenir cette troisième personne. Son illustration peut être notre devis d'architecte. On s'en inspire pour se rénover.

Aujourd'hui, je découpe trois images de moi. 1re : telle que je me suis forcée à être jusqu'ici; 2e : telle que les autres me voient; 3e : telle que je veux me laisser être dans la seconde partie de ma vie.

Réussir sa vie

C'est quoi, réussir sa vie, sinon cela, cet entêtement d'une enfance, cette fidélité simple : ne jamais aller plus loin que ce qui vous enchante à ce jour, à cette heure. (Christian Bobin)

On veut sauver sa vie, mais aussi la réussir. Or, c'est souvent la conception qu'on avait d'une vie réussie qui nous a mené à la maladie. Course, performance, compétition, m'as-tu-vu, nous ont mené à l'épuisement. Aussi faut-il réviser son idée d'une vie réussie pour garder sa vie hors de danger.

Et si réussir sa vie, c'était ça : faire ce qui nous chante et nous enchante, chaque jour, chaque heure ? Cela peut sembler irréaliste. Pourtant, le plus souvent, ce ne sont pas les contraintes de la réalité qui nous empêchent de faire ce qui nous plaît, mais nos propres règlements intimes, cruels et caducs. En acceptant de ne plus toujours « se forcer » pour y satisfaire, on a beaucoup plus de chance de resplendir de santé.

La fidélité à son enfance, c'est accorder du temps aux petites choses, s'amuser d'un rien, s'interroger sur tout, se lever le matin, prêt à vivre intensément chaque instant, comme le recommandaient il y a longtemps Horace et Sénèque : « Hâte-toi de bien vivre et songe que chaque jour est à lui seul une vie. » *Carpe diem...*

Réussir ma vie, c'est ne plus viser les grandes choses, mais savourer les petites. Aujourd'hui, je me remémore mon plus grand plaisir d'enfant et m'y adonne en toutes liberté et fidélité.

Over my dead body

L'homme est un être de désir. Le travail ne peut qu'assouvir des besoins. Rares sont les privilégiés qui réussissent à satisfaire les seconds en répondant au premier. Ceux-là ne travaillent jamais. (Henri Laborit)

Dès que j'ai entendu l'histoire d'Adam et Ève chassés du paradis terrestre, j'ai compris que gagner sa vie était une malédiction. La chose m'était d'ailleurs confirmée à voir mes parents s'échiner à gagner notre pain quotidien.

Gagner ma vie est devenu pour moi synonyme de condamnation au malheur. Dès que j'ai eu à choisir une façon de le faire, un puissant malaise m'a saisie. Il me semblait que j'entrais en prison et que j'allais y mourir. Je revenais du travail crevée, siphonnée, sur les genoux. Le travail me mangeait tout rond. Nombreux sommes-nous pour qui gagner sa vie, c'est parvenir « tout juste à subsister en allant se procurer une nourriture minimale au-dehors et en retournant chaque nuit à son point de départ pour y sombrer dans le sommeil, épuisé », comme le note Clarrisa Pinkola Estés. On gagne sa vie au prix de la perdre.

Souventes fois, j'ai juré que je ne retournerais pas au travail détesté. « *Over my dead body* ! » disais-je avec conviction, pour y rappliquer quand même le lendemain matin, jusqu'à ce que je doive effectivement enjamber *my dead body* pour m'y rendre.

En guérissant, je « gagne » littéralement ma vie. Par la suite, je saurai bien la gagner financièrement sans y laisser ma peau.

Elleyrou

Faut-il toute sa vie se démener, comme le spermatozoïde dont nous sommes issus, et continuer à fournir ce qu'on ne nous demande plus, et qu'on ne nous a jamais demandé ? (Jean-Claude Lavie)

Toute sa vie, on se démène pour répondre à ce que Lavie – le bien nommé ! – appelle la demande « materno-paternelle ». Course folle, résultats désespérants.

Après des années de cette course, je me suis vue en rêve au volant d'un véhicule hybride qui tenait à la fois de l'unicycle – dont il avait le siège et les guidons haut juchés – et du tout-terrain – dont il avait les quatre roues. Je roulais à contre-courant de la circulation, sur une route mal éclairée, effectuant un slalom suicidaire pour éviter à la fois les véhicules venant en sens inverse, les trous de la chaussée et le fossé. Haut perchée sur mon siège, je ne me sentais pas du tout en contrôle du véhicule, ni en contact avec le sol.

Après avoir roulé longtemps dans le noir, je suis arrivée à un joli village éclairé : Elleyrou. J'ai su que c'était chez moi et j'ai dit avec soulagement : « J'y suis. » L'endroit ressemblait au petit village illuminé que ma tante installait sous l'arbre à Noël. Un écriteau, sur l'une des petites maisons, annonçait : « Chez Clara ». J'ai compris que c'était là que je pourrais me restaurer et vivre à l'avenir. Paisiblement, sans me démener. À l'horizon se profilaient deux immenses châteaux de glace que je ne souhaitais plus habiter.

Je fuis les mirages et les châteaux de glace. Je m'installe dans la chaleur d'Elleyrou, un village à ma mesure et à ma fantaisie.

Rien

... il vous est nécessaire de refuser une quantité considérable de rencontres, afin de préserver une chose dont la plus juste formule est « rien » : ne rien faire, rien dire, presque rien être. Vous y découvrez le cœur subtil du temps, son cœur battu par le rien du sang dans les veines. (Christian Bobin)

Pour ne plus jamais se perdre de vue, il faut savoir se ménager des plages d'arrêt, de retrait, qui nous évitent d'être happé par la trépidation environnante.

Pas besoin de trucs sophistiqués ni de lieux sacrés pour le faire. Il suffit d'apprendre à cultiver le « rien ». Pas le rien qui nie tout, mais celui qui magnifie tout.

À tout instant du jour, je me mets sur « pause », durant 20 secondes ou 20 minutes. La durée est sans importance. Ce qui l'est, c'est de savoir s'arrêter. Les moines le savent bien, qui font alterner les périodes de travail et de contemplation, de chant et de silence, de veille et de sommeil, pour garder l'équilibre et l'harmonie.

De la même façon, je me ménage des petites plages de rien pour accéder à « la joie qui se nourrit précisément de rien », selon Bobin. La joie qui se nourrit d'un morceau de poire ou de chocolat fondant sur la langue, d'une caresse dans le cou du chat ou sur la joue de l'enfant, du son de crécelle de l'oiseau qui pépie juste là.

Aujourd'hui, je m'accorde plusieurs petites pauses-velours pour flatter ces magnifiques riens du temps qui m'est redonné.

Couper dans le gras

Lorsque la tige du besoin renonce à son indéfinie croissance, éclot la fleur du désir. (Denis Vasse)

Notre réflexion sur la maladie, notre bilan de vie peuvent nous amener à la conclusion qu'il vaudrait mieux changer d'emploi, de maison ou de partenaire pour retrouver la santé. Ces changements peuvent entraîner une baisse de revenus et cette perspective nous fait parfois hésiter ou reculer devant les mutations envisagées.

De quoi vivrais-je, me nourrirais-je, me vêtirais-je? Les paroles de la Bible se font rassurantes : « Ne vous inquiétez pas pour votre vie de ce que vous mangerez, ni pour votre corps de quoi vous le vêtirez », mais nous nous inquiétons quand même. Ce bon de garantie vaut-il encore 2 000 ans plus tard? Dieu pourvoira-t-il à nos besoins comme il le fait pour les corbeaux du ciel et les lis des champs ?

En faisant ce qu'on aime, en vivant de la façon qui correspond à ce qu'on est vraiment, on a tôt fait de réaliser que nos besoins fondent aussi vite que croît notre plaisir nouveau à vivre. Le beau vêtement, le souper fin, la jolie voiture, les belles tentures ne pèsent pas lourd à côté du bien-être, de l'intensité, de la saveur de la vie retrouvée. En optant pour la frugalité comme mode de vie, en diminuant le nombre de ses besoins, on s'enrichit de temps, de qualité et de liberté.

Je coupe dans le gras de mes besoins. J'investis dans mes désirs.

L'étincelle viendra on ne sait d'où...

Nul ne sait aujourd'hui comment se dissémine le cancer. La dissémination cancéreuse n'est donc pas une fatalité par laquelle on doit accepter d'être terrorisé mais une porte ouverte sur des interrogations neuves d'où sortira peut-être une manière neuve de concevoir le cancer. (Pr Jean-Paul Escande)

Les savants sérieux ne trouvent ni la cause ni la solution du cancer. Et si c'était nous, les malades moins sérieux, qui en détenions la clé ? N'est-ce pas nous qui savons à quel moment l'opération s'est déclenchée en nous, à quel moment précis de désespoir nous avons pesé sur le bouton de la bombe nucléaire ?

Le même professeur Escande ajoute que : « C'est pourtant bien d'une idée folle que viendra la solution des problèmes... l'étincelle viendra on ne sait d'où... et c'est pourquoi il faut des chercheurs, des poètes, des farfelus, des naïfs et des... instituts. »

Laissons les chercheurs bosser dans les instituts, il en faut, mais prenons la parole aussi, poètes, farfelus et naïfs... Quelle magnifique porte ouverte pour dire l'autre côté de la médaille, celui qu'on ne verra jamais grouiller sous le microscope.

Un autre savant professeur, Georges Canguilheim, assure : « Il n'y a rien dans la science qui n'ait d'abord apparu dans la conscience. » Laissons monter à notre conscience la connaissance de notre ventre, et ajoutons notre parole naïve à celle des scientifiques. Le chaînon manquant est peut-être dans notre voix.

Je partage ma connaissance intime du cancer, pour que vienne une manière neuve de le concevoir et de le traiter.

Psycho-soma-clips

Comme si on voulait l'savoir!
On veut pas l'sawoère qu'osse qu'est arrivé :
ON VEUT LE WOÈRE! (Yvon Deschamps)

Le cancer, qu'on dit la « maladie du siècle », aura peut-être été le médium auquel une civilisation a dû avoir recours pour faire voir son malaise. À l'ère du clip, du flash et du punch, le cancer aura été le coup de poing pour laisser savoir son ras-le-bol total. Vous ne voulez pas le savoir? Vous allez le voir. Un clip « punché » pour dire la rébellion contre un mode de vie intolérable, l'allergie à un siècle fou, le refus de poursuivre.

Comme individu, on attend d'être à un cheveu de la mort pour comprendre qu'il faut modifier sa vie en profondeur. Il semble que la société attende elle aussi de se retrouver en phase terminale pour réagir. On assiste actuellement à la résurgence de maladies disparues depuis longtemps et à l'éclosion de nouvelles, réfractaires à toute médication malgré les percées scientifiques, comme si le système immunitaire de l'humanité voulait manifester ainsi sa rébellion ou sa démission.

On dit que 99 singes peuvent acquérir une même habileté à titre individuel, mais que la race entière y accède lorsque le centième singe la maîtrise à son tour. En modifiant notre attitude individuelle face à la maladie, nous pouvons contribuer au changement global des mentalités.

Je veux être le centième singe qui va faire basculer la race humaine dans une autre attitude face à la maladie.

Gracias a la vida

Tout ce que j'ai cru trop vite
À jamais perdu pour moi [...]
Tout ce que j'ai failli perdre
Tout ce qui m'est redonné [...]
Que c'est beau, c'est beau la vie ! (Jean Ferrat)

À quoi ressemble la vie après la guérison ? À un long fleuve d'action de grâces qui charrie ses coups durs et ses déceptions mais où flotte par-dessus tout une bouée de joie : celle d'être vivant. La vue d'un oiseau qui se farfouille les plumes du bec, d'un bulbe de jonquille qui gonfle en février, une odeur de printemps qui parle de résurrection et nous voilà prêts à entonner un *Deo Gratias* ou un *Magnificat*.

Pour tout ce qui nous est redonné. Le bonheur de voir son enfant devenir parent à son tour, ce coin de planète à découvrir, ce lac où plonger, cette peau à caresser. La chance de raccommoder une relation en souffrance, de dire les choses tues, de porter le vêtement farfelu, d'habiter le quartier élu. La possibilité de vivre au plus près et au plus vrai de soi, de s'adresser à l'essentiel chez les autres, d'écouter autrement le message de leurs maux, de prêter l'oreille à leurs mots.

La vie après la guérison, c'est carburer à la gratitude après avoir longtemps carburé au désespoir. C'est avoir récupéré l'objet précieux juste avant que le camion à ordures l'avale. On le nettoie, le polit et le chérit, d'autant plus qu'on a failli le perdre.

Je me tâte le pouls. Je me sens respirer. Je remercie la vie.

Nowhere

You'll never get there, if you don't know where you're going. **(Yogi Berra)**

On se laissait ballotter comme un bouchon de liège au gré des vagues. On suivait la parade en n'allant nulle part, en allant à sa mort. On ne croyait pas qu'on pouvait fixer sa propre destination.

La maladie permet de s'approprier ce pouvoir jamais réclamé sur son corps, sa santé, son destin. On sait que c'est possible de se fixer un but, mais on se retrouve aussi désorienté qu'un prisonnier retrouvant sa liberté après quelques décennies passées derrière les barreaux. Quoi faire ? Où aller ? À quoi suis-je bon ? Qu'est-ce que j'aime ?

Il faut s'accorder une période de transition/probation durant laquelle interroger et apprivoiser l'étranger qu'on était devenu pour soi-même. Que veut faire de sa vie ce rescapé ? Il faut lui laisser le temps de le découvrir, sinon, comme dit Yogi Berra, le philosophe du base-ball, champion du truisme, « comment y arriver si on ne sait pas où on s'en va ».

Certains disent que ce n'est pas la destination qui importe mais le chemin pour y arriver. Une destination aide par contre à avancer, comme un projet aide à vivre. Je détermine le mien. Je veux connaître la joie d'un projet et d'une vie menés à terme.

Je sais où je veux aller et je vais y arriver. Je ne veux pas d'une vie avortée. Dès aujourd'hui, je commence à jouir du parcours.

L'ange cornu

« Ce ne sont pas les beaux sentiments, ceux qui m'étaient agréables, qui m'ont aidé à mieux comprendre ce qui se passait en moi, mais au contraire ceux contre lesquels je me suis défendu le plus : ceux qui faisaient que je me sentais mesquin, petit, méchant, faible, humilié, prétentieux, rancunier ou perdu ; et avant tout triste et seul... » (Cité par Alice Miller)

On se condamne souvent à mort parce qu'on est mesquin, petit, méchant, etc. Guérir, c'est s'accorder l'absolution totale, ce qui ne signifie pas s'encourager à être délibérément aussi moche mais s'autoriser à vivre bien que l'étant.

Guérir, c'est vivre en paix avec cet être imparfait, le considérer avec compassion et même amusement, lui dire : « Oui, tu es tout ce que je considérais autrefois comme passible de mort, mais tous les vivants le sont aussi et n'en meurent pas. » Au contraire, « Les bons sentiments ne finissent-ils pas par ruiner la société... » comme le suggère Raymond Aron. Ils peuvent même ruiner son homme, si ce sont les seuls qu'il s'autorise.

Assumer mes « moins bons » sentiments me permet de les tolérer plus facilement chez les autres. Jadis, je leur en voulais d'afficher sans culpabilité ces tares que je tentais de neutraliser en moi. Aujourd'hui, parce que je me les pardonne, je ne leur en tiens plus rigueur. Je vois tout plein de petites cornes dans mon dos, mais l'ange cornu a une bien meilleure espérance de vie.

Je m'inscris à la confrérie humaine imparfaite et je me sens tellement moins triste et seul.

Une « peur de luxe »

Si légitime soit-elle, la peur du cancer est une « peur de luxe ». Expression d'un très haut niveau de vie, elle n'affecte qu'une minorité de pays riches. Mais elle épargne les pays sous-développés où les problèmes de survie immédiate subsistent de façon aiguë... (Pierre Darmon)

Avant le cancer, j'étais la reine des sceptiques. Je m'étais développé une philosophie essentiellement fataliste qui se résumait en deux lignes :

Une fois dans le trou, tu y restes.
Essaie d'en sortir, tu y retombes.

Je ne croyais pas au renversement possible d'une situation mal embrayée. C'est un peu l'attitude que nous avons comme société face au cancer. On le considère comme une fatalité d'époque, la conséquence inéluctable d'une industrialisation massive. Du même coup, notre attitude résignée et passive favorise la gigantesque industrie du cancer car « À toute demande, la société industrielle répond par la création d'une machine », constate Jacques Attali.

Y a-t-il moyen de renverser le mouvement de cette machine ? Quel est *Le Secret des peuples sans cancer* ? Jean-Pierre Willem, qui l'a cherché, retient entre autres un mode de vie plus lent, une alimentation plus saine et un tissu communautaire plus serré. Sans revenir au mode de vie tribal, nous pouvons réviser certains dérapages de nos pays surdéveloppés et décivilisés.

Aujourd'hui, je ralentis et simplifie ma façon de vivre en m'inspirant de celle des « peuples sans cancer ».

Une peur à exorciser

Si l'on ne faisait pas toute une histoire du cancer, mais que l'on y réagissait comme à quelque chose d'aussi banal que la grippe, on aurait les meilleures chances de se rétablir. (Dr Deepak Chopra)

Frappé par la grippe, on ne part pas en peur ni en guerre. C'est un moment désagréable à passer, mais pas une catastrophe. On sait que tôt ou tard on en guérira. Ne dit-on pas à la blague qu'une grippe soignée dure sept jours alors qu'une grippe non soignée dure une semaine ? Qu'on s'alite ou pas, qu'on se plaigne ou pas, qu'on prenne du bouillon de poulet ou pas, après quelques jours, on repart dans la vie, sa santé en bandoulière.

Face à la grippe, on fait confiance à son corps : il saura se défendre. Guérir, à l'origine, signifiait d'ailleurs cela : défendre et protéger. Notre corps saura de la même façon nous guérir du cancer ou de toute autre maladie. « Lorsqu'on est simplement soi-même et non pas un « cancéreux », dit Chopra, la réaction en chaîne de la réponse immunitaire, avec ses centaines d'opérations précisément chronométrées, se déclenche alors, fermement décidée à l'emporter. Mais à partir du moment où l'on se laisse envahir par un sentiment d'impuissance et de peur, cette chaîne se brise. »

J'exorcise mes peurs, je me réapproprie mon pouvoir, je redonne confiance à mon corps pour favoriser l'efficacité et la synchronisation de ma réponse immunitaire.

Je ne me laisse plus mystifier par quelque étiquette de maladie que ce soit. Mon corps sait comment réagir et se rétablir.

Vomissure de vie sure

... croyant avaler des objets, on avale aussi leurs noms, signifiants parfois indigestes, recrachés alors dans la maladie, vomissure du destin.
(Gérard Haddad)

On se comporte souvent dans la vie comme un bébé obligé d'avaler de la purée d'épinards. Il la stocke dans ses joues jusqu'au moment où, sur le point d'asphyxier, il recrache une explosion verdâtre.

Nous passons notre vie à avaler des couleuvres, sans trouver le courage de les régurgiter ou le moyen de les transformer et de les évacuer. À la place, on hoche du bonnet comme le bébé avec ses épinards : « Bien sûr, bien sûr... » jusqu'à ce que, n'en pouvant plus, on recrache tout dans la maladie, vomissure de « bien sûr » et de vie sure.

Guérir, c'est ne plus se laisser gaver, ne plus se laisser être un tube digestif résigné. C'est discriminer ce qu'on veut avaler ou pas, assimiler ou pas. Si je n'aime pas le goût, la texture de ma vie, je ne continue pas à l'avaler passivement. Je décide de mon menu et me prépare la cuisine qui me plaît : simple ou élaborée, familiale ou exotique, frugale ou gargantuesque.

« Celui qui veut être un homme doit être un non-conformiste... Rien n'est aussi sacré que l'intégrité de notre esprit », nous rappelle Ralph Waldo Emerson dans son essai sur la confiance en soi. Je n'ingurgite plus par politesse ou par lâcheté tout ce qui m'est servi.

Je n'avale dorénavant que ce que je digère. Je n'aurai plus besoin de vomir mon destin.

Les portes fermées

Un mot allemand décrit bien le courant de désespoir sous-jacent qui s'installe dans notre société. Il s'agit de la *torschlusspanik* [...] définie comme étant la « panique qui s'installe chez un individu, à la pensée qu'une porte, entre soi et les possibilités de la vie, a été fermée ».
(Marion Woodman)

En tentant de comprendre le « Pourquoi moi et maintenant ? » de sa maladie, on en arrive parfois à des constatations très troublantes. On réalise le plus souvent qu'on était dans une situation sans issue, piégé dans un travail, une relation, un mode de vie qui ne nous convenaient plus, dont on ne voyait pas comment s'extirper mais que la mort pourrait résoudre commodément.

Si on ne veut pas de cette solution, il faut en trouver d'autres à son impasse. Or, l'idée de rompre avec une carrière, un conjoint, un ami, un milieu, même si on les sait toxiques, est insécurisante, surtout durant cette période où la maladie nous rend vulnérables.

Pour guérir, il faut être prêt à faire des changements fondamentaux et croire qu'on peut y survivre. La guérison de maladies graves s'accompagne le plus souvent de profondes transformations de sa façon de vivre. Pour que le corps se rajuste, il faut atteindre une coïncidence parfaite entre ce qu'on est et ce qu'on fait. Cesser de s'acharner contre les portes fermées, les éviter, les contourner, les déjouer, et filer.

Dans le cul-de-sac de l'amour mort, du travail insatisfaisant, des obligations écrasantes, des liens toxiques, je cherche une brèche.

Les portes qui s'ouvrent

En commençant à vivre *votre* vie, si vous prenez le risque de faire ce que vous voulez vraiment faire, vous vous apercevrez que chaque élément prendra naturellement sa place et que vous vous trouverez, « comme par hasard », au bon moment au bon endroit. Même les portes des ascenseurs commenceront à s'ouvrir devant vous. (Dr Bernie Siegel)

Bien difficile pour une fille qui ne croyait à rien de croire tout à coup que les portes d'ascenseur s'ouvriront devant elle. Prendre le risque de croire à la guérison m'ayant permis de guérir, j'ai pris aussi celui de croire aux portes qui s'ouvrent.

L'année suivant ma guérison, Bernie Siegel donnait une conférence à Montréal. Je m'y suis rendue avec une amie guérie, elle aussi contre toute probabilité statistique.

Autour de l'hôtel, aucun espace de stationnement. Après maints tours de bloc, nous voyons un homme garé non loin de l'édifice nous faire un signe élégant de la main signifiant qu'il libérait la place et nous la cédait.

En file pour acheter nos billets, nous voyons un autre homme se diriger vers nous : « Nous avons acheté des billets de groupe à prix réduit. Il y en a deux de trop, vous les voulez ? »

Dans la salle, 600 personnes sont déjà assises. Nous nous installons derrière elles : visibilité nulle. Partie explorer les rangées devant, contre toute attente j'aperçois deux chaises libres dans la troisième rangée. « Elles sont réservées ? » Un troisième homme me répond : « Oui, pour vous ! »

Si je m'ouvre à la vie, elle s'ouvre à son tour devant moi.

Références bibliographiques

Je tords plus volontiers une bonne sentence pour la coudre sur moi, que je ne tords mon fil pour l'aller quérir. (Montaigne)

AJAR, Émile. *Pseudo,* Mercure de France, 1976.

ANZIEU, Didier. « Le Moi-peau », *in Nouvelle Revue de Psychanalyse,* Gallimard, printemps 1974, nº 9.

AQUIN, Thomas d'. *Somme théologique, Traité des passions,* Question XXXVIII, Article V.

AUGUSTIN, saint. *Les Confessions,* Garnier Frères, 1964.

BACHELARD, Gaston. *La Terre et les Rêveries du repos,* Librairie José Corti, 1948.

BENSAÏD, Norbert. « Autrement le même », *in Nouvelle Revue de Psychanalyse,* Gallimard, printemps 1978, nº 17.

BERNE, Éric. *Des jeux et des hommes,* Stock, 1976.

BETTELHEIM, Bruno. *Psychanalyse des contes de fées,* Robert Laffont, 1976.

BLOY, Léon. *Exégèse des lieux communs,* Mercure de France, 1963.

BOBIN, Christian. *L'Inespérée,* Gallimard, 1994.

— *Une petite robe de fête,* Gallimard, 1991.

— *La Part manquante,* Gallimard, 1994.

BONFILS, Serge. « L'homme guéri et les avatars de la guérison », *in Nouvelle Revue de Psychanalyse,* Gallimard, 1978, nº 17.

BREATHNACH, Sarah Ban. *L'Abondance dans la simplicité,* Éditions du Roseau, 1999.

CAMERON, Julia. *Libérez votre créativité,* Dangles, 1995.

CANGUILHEIM, Georges. *Le Normal et le Pathologique,* PUF, 1943.

— « Une pédagogie de la guérison est-elle possible ? », *in Nouvelle Revue de Psychanalyse,* Gallimard, printemps 1978, nº 17.

CHASSEGUET-SMIRGEL, Janine. *Essais sur l'idéal du moi. Contribution à l'étude de la maladie d'idéalité,* Paris, Tchou, 1975.

CHOPRA, Deepak. *La Guérison ou "Quantum Healing",* Stanké, 1990.

COCAGNAC, Maurice. *Rencontres avec Carlos Castaneda et Pachita la guérisseuse*. Albin Michel, 1991.

COUSINS, Norman. Préface de René Dubos, *La Volonté de guérir*, Seuil, 1980.

CROMBEZ, JEAN-CHARLES. *La Guérison en écho,* Publications MNH, 1994.

DANTE, Alighieri. *La Divine Comédie,* Paris, Garnier, 1962.

DARMON, Pierre. *Les Cellules folles*, Plon, 1993.

DEMERS, Jocelyn. *Victimes du cancer, mais... des enfants comme les autres*, Héritage +, Plus, 1983.

DESCHAMPS, Yvon. *Tout Deschamps*, Lanctôt éditeur, 1998.

DJIAN, Philippe. *Entre nous soit dit - Conversations avec Jean-Louis Ezine*, Plon, 1995.

DOLTO, Françoise. *Solitude*, Vertiges, 1985.

— *Autoportrait d'une psychanalyste*, Seuil, 1989.

DREWERMANN, Eugen. *Dieu immédiat* : *entretiens avec Gwendolyne Jarczyk*, Desclée de Brouwer, 1995.

ENCYCLOPÉDIE DE LA JEUNESSE, Grolier, 1938.

ENCYCLOPÉDIE THÉMATIQUE UNIVERSELLE, Bordas, 1974.

ERIKSON, Erik H. *Enfance et Société*, Delachaux et Niestlé, 1976.

ESCANDE, Jean-Paul. *La Deuxième Cellule - Recherches sur la maladie appelée cancer*, Grasset, 1983.

ESTÉS, Clarissa Pinkola. *Femmes qui courent avec les loups*, Grasset, 1996.

FERGUSON, Marilyn. *Les Enfants du Verseau*, Calmann-Lévy, 1981.

FISCHER, Gustave-Nicolas. *Le Ressort invisible, Vivre l'extrême*, Seuil, 1994.

FITZGERALD, F. Scott. *La Fêlure*, Gallimard, 1963.

FREUD, Sigmund. *L'Inquiétante Étrangeté et Autres Essais*, Gallimard, 1985.

— *L'interprétation des rêves*, PUF, 1980.

FROMM, Erich. *L'Art d'aimer*, Épi, 1968.

GAWAIN, Shakti. *Techniques de visualisation créatrice*, Soleil, 1990.

GRODDECK, Georg. *La Maladie, l'Art et le Symbole*, Gallimard, 1969.

HADDAD, Gérard. *Manger le livre*, Grasset, 1984.

HASSOUN, Jacques. *La Cruauté mélancolique*, Aubier, 1995.

HIGGINS, Colin. *Harold et Maude*, Gallimard, 1995.
HOWARD, Jane. *Touchez-moi s'il vous plaît*, Éditions du Jour/Tchou, 1976.
ILLICH, Ivan. *Némésis médicale*, Seuil, 1975.
JACCARD, Roland. *L'Exil intérieur : Schizoïdie et Civilisation*, PUF, 1975.
JAFFE, Dennis T. *La guérison est en soi*, Robert Laffont, 1981.
KAFKA, Franz. « Lettres à Milena » *in Œuvres complètes, vol. 4*, Gallimard, 1989.
KAZAN, Elia. *L'Arrangement*, Stock, 1969.
KIERKEGAARD, Soeren. *Traité du désespoir*, Gallimard, 1949.
KLIBANSKY, Raymond, Erwin PANOFSKY et Fritz SAXL. *Saturne et la Mélancolie,* Gallimard,1990.
LABORIT, Henri. *Éloge de la fuite*, Robert Laffont, 1976.
LA FONTAINE, JEAN DE. *Fables,* SACELP, 1982.
LANDRY, Frédéric. *Pièges de sable*, Leméac, 1978.
LAVIE, Jean-Claude. « Guérir de quoi ? » *in Nouvelle Revue de Psychanalyse*, Gallimard, printemps 1978, n° 17.
LEVINE, Stephen. *Qui meurt ?*, Le Souffle d'Or, 1991.
MEAD, Margaret. « The Concept of Culture and the Psychosomatic Approach », *in Psychiatry* 10, 1947.
MEURIS, Jacques. *Magritte*, Taschen, 1992.
MILLER, Alice. *Le Drame de l'enfant doué*, PUF, 1983.
— *Abattre le mur du silence*. Aubier, 1991.
MOREL, Denise. *Cancer et Psychanalyse*, Belfond, 1984.
MONTAIGNE, Michel. *Essais,* Garnier, 1962.
M'UZAN, Michel de. *De l'art à la mort*, *Itinéraire psychanalytique*, Gallimard, 1977.
— « La bouche de l'inconscient », *in Nouvelle Revue de Psychanalyse*, Gallimard, printemps 1978, n° 17.
NIETZSCHE, Friedrich. *Par-delà le bien et le mal*, UGE, coll. « 10/18 », 1973.
PERNOUD, Régine. *Hildegarde de Bingen*, Éditions du Rocher, 1994.
POMEY-REY, Dr Danièle. *Les Cheveux et la Vie*, Bayard, 1993.
PONTALIS, J.-B. *L'Amour des commencements*, Gallimard, coll. « Folio », 1986.

— « Une idée incurable », *in Nouvelle Revue de Psychanalyse*, Gallimard, printemps 1978, nº 17.

REICH, Wilhelm. *La Biopathie du cancer*, Payot, 1975.

RILKE, Rainer Maria. *Lettres à un jeune poète,* Éditions Mille et une nuits, 1997.

ROY, Gabrielle. *La Détresse et l'Enchantement*, Éditions du Boréal Express, 1984.

RUBIN, Theodore I. *Compassion and Self-Hate,* David McKay Co., 1975.

SARANO, Jacques. *La Guérison*, PUF, coll. « Que sais-je ? », 1955.

SELYE, Hans. *Le Stress de la vie*, Gallimard, 1975.

SEMPRUN, Jorge. *L'Écriture ou la Vie,* Gallimard, 1994.

SIEGEL, Bernie. *L'Amour, la Médecine et les Miracles*, Robert Laffont, 1989.

SIMONTON, Carl O, Stephanie MATTHEWS-SIMONTON et James CREIGHTON. *Guérir envers et contre tout*, Éditions de l'Épi, 1982.

SONTAG, Susan. *La Maladie comme métaphore*, Seuil, 1979.

SOUZENELLE, Annick de. *Le Symbolisme du corps humain*, Dangles, 1984.

SPOCK, Benjamin. *Comment soigner et éduquer son enfant*, Pierre Belfond, 1979.

STYRON, William. *Face aux ténèbres : chronique d'une folie*, Gallimard, 1990.

TROYAT, Henri. *L'Araigne*, Plon, 1938.

VAN DEN BROUCK, Jeanne. *Manuel à l'usage des enfants qui ont des parents difficiles*, France-Amérique, 1979.

VON FRANZ, Marie-Louise. *Les Rêves et la Mort*, Fayard, 1985.

WILLEM, Jean-Pierre. *Le Secret des peuples sans cancer*, Éditions du Dauphin, 1994.

WINNICOTT, Donald W. *De la pédiatrie à la psychanalyse*, coll. « Petite bibliothèque Payot », 1969.

— « Distorsion du Moi en fonction du vrai et du faux *self* », *in Processus de maturation de la libido*, Payot, 1960.

WOODMAN, Marion. *La Vierge enceinte*, Éditions de la Pleine Lune, 1992.

ZORN, Fritz. *Mars*, Gallimard, 1979.

Table des matières

DANS LA MÊME COLLECTION

La collection **ADVENIR** *propose pistes de réflexion, clés et outils pour : une prise en charge de sa vie, une réappropriation de sa santé, celle du corps et celle de l'esprit.*

Dix règles pour réussir sa vie

Chérie Carter-Scott

Préface de Jack Canfield, auteur de *Bouillon de poulet*

Un jour ou l'autre, nous nous sommes tous posé la question : « Pourquoi suis-je le seul à ne pas connaître les règles du jeu de la vie ? » Voici la réponse que nous attendions. Dix règles simples qui ont fait le tour du monde depuis 25 ans et qui peuvent nous permettre de faire la paix avec les autres et avec nous-même. L'auteur nous invite à assimiler les leçons de l'estime personnelle, du respect, du pardon, de la compassion, de la gratitude et du courage.